S0-BZS-909
Про бегемота, который боялся прививок
Ёлка
Мы ищем кляксу
Волшебный магазин
Терем-теремок
Дядя Миша
Палочка-выручалочка

УДК 821.161.1-34-053.2
ББК 84(2Рос=Рус)6-44
С90

ISBN 5-17-022352-8 (ООО «Издательство АСТ»)
ISBN 5-271-08062-5 (ООО «Издательство Астрель»)
ISBN 5-9578-0702-8 (ООО «Транзиткнига»)

В. Сутеев

Сказочные истории и сказочные повести

Книга посвящена
100-летию
В. Г. Сутеева

«ПЛАНЕТА ДЕТСТВА»

Деду

СКАЗКИ

ЯБЛОКО

Стояла поздняя осень. С деревьев давно облетели листья, и только на верхушке дикой яблони ещё висело одно-единственное яблоко.

В эту осеннюю пору бежал по лесу Заяц и увидел яблоко.

Но как его достать? Яблоко высоко висит – не допрыгнешь!

– Крра-крра!

Смотрит Заяц – на ёлке сидит Ворона и смеётся.

– Эй, Ворона! – крикнул Заяц. – Сорви-ка мне яблоко.

Ворона перелетела с ёлки на яблоню и сорвала яблоко. Только в клюве его не удержала – упало оно вниз.

– Спасибо тебе, Ворона! – сказал Заяц и хотел было яблоко поднять, а оно, как живое, вдруг зашипело... и побежало. – Что такое?

Испугался Заяц, потом понял: яблоко упало прямо на Ежа, который, свернувшись клубочком, спал под яблоней. Ёж спросонок вскочил и бросился бежать, а яблоко на колючки нацепилось.

– Стой, стой! – кричит Заяц. – Куда моё яблоко потащил?

Остановился Ёжик и говорит:

– Это моё яблоко. Оно упало, а я его поймал.

Заяц подскочил к Ежу:

– Сейчас же отдай моё яблоко! Я его нашёл!

К ним Ворона подлетела.

– Напрасно спорите, – говорит, – это моё яблоко, я его себе сорвала.

Никто друг с другом согласиться не может, каждый кричит:

– Моё яблоко!

Крик, шум на весь лес. И уже драка начинается: Ворона Ежа в нос клюнула, Ёж Зайца иголками уколол, а Заяц Ворону ногой лягнул...

Вот тут-то Медведь и появился. Да как рявкнет:

– Что такое? Что за шум?

Все к нему:

– Ты, Михаил Иванович, в лесу самый большой, самый умный. Рассуди нас по справедливости. Кому это яблоко присудишь, так тому и быть.

И рассказали Медведю всё, как было.

Медведь подумал, подумал, почесал за ухом и спросил:

– Кто яблоко нашёл?
– Я! – сказал Заяц.

– А кто яблоко сорвал?
– Как р-раз я! – каркнула Ворона.

– Хорошо. А кто его поймал?
– Я поймал! – пискнул Ёж.

– Вот что, – рассудил Медведь, – все вы правы, и потому каждый из вас должен яблоко получить...

– Но тут только одно яблоко! – сказали Ёж, Заяц и Ворона.

– Разделите это яблоко на равные части, и пусть каждый возьмёт себе по кусочку.

И все хором воскликнули:

– Как же мы раньше не догадались!

Ёжик взял яблоко и разделил его на четыре части.

Один кусочек дал Зайцу:

– Это тебе, Заяц, – ты первый яблоко увидел.

Второй кусочек Вороне отдал:

– Это тебе, Ворона, – ты яблоко сорвала.

Третий кусочек Ёжик себе в рот положил:

– Это мне, потому что я поймал яблоко.

Четвёртый кусочек Ёжик Медведю в лапу положил:

– А это тебе, Михаил Иванович...

– Мне-то за что? – удивился Медведь.

– А за то, что ты нас всех помирил и уму-разуму научил!

И каждый съел свой кусочек яблока, и все были довольны, потому что Медведь рассудил справедливо, никого не обидел.

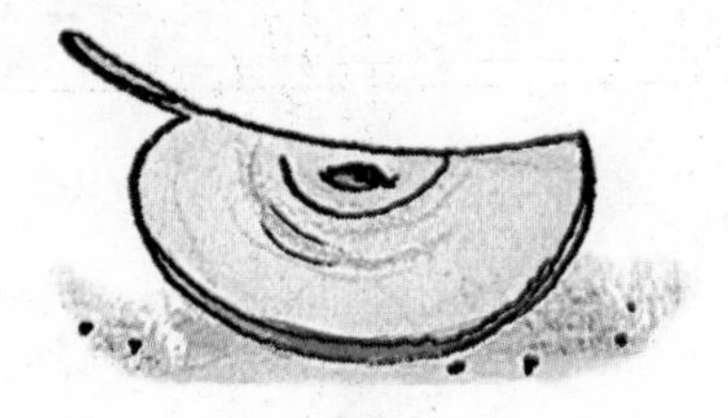

МЕШОК ЯБЛОК

Ходил Заяц с мешком по лесу, искал грибы-ягоды для своих зайчат, но, как назло, ничего ему не попадалось: ни грибов, ни ягод.

И вдруг посреди зелёной поляны увидел он дикую яблоню. А яблок румяных на ней и под ней – видимо-невидимо! Не долго думая, раскрыл Заяц свой мешок и стал в него яблоки собирать.

Тут Ворона прилетела, на пенёк села и каркает:

– Карр! Карр! Безобразие! Каждый будет сюда приходить, ни одного яблока не останется!

– Напрасно каркаешь, – говорит Заяц, – здесь яблок на весь лес хватит. А у меня зайчата дома голодные сидят.

Набрал Заяц полный мешок яблок. Мешок тяжёлый – не поднять. С трудом потащил его Заяц волоком по лесной тропинке...

И вдруг голова его уткнулась во что-то мягкое. Поднял голову Заяц и обомлел – перед ним Медведь стоит!

– Что у тебя там в мешке? – спросил Медведь.

Заяц пришёл в себя, открыл мешок и говорит:

– Вот... Яблоки... Угощайтесь, дядя Миша!

Попробовал Медведь одно яблоко.

– Ничего яблочки! Освежают! – проревел он, набрал большую горсть яблок и пошёл своей дорогой.

А Заяц – к себе домой.

Идёт Заяц по лесу, а со всех сторон бегут к нему бельчата, пищат хором:

– Дяденька Заяц! Дайте яблочек!

Ничего не поделаешь, пришлось снова мешок открыть.

По дороге домой Заяц встретил своего старого приятеля Ежа.

– Куда идёшь, Колючая Голова? – спросил Заяц.

– Да вот, за грибами собрался, а грибов нигде не видно. Хожу с пустой корзинкой.

– Ты лучше у меня яблок возьми. Бери, не стесняйся, у меня их много! – сказал Заяц и насыпал Ежу полную корзину яблок.

Вышел Заяц на лужок, а там Коза со своими козлятами гуляет. Их Заяц тоже яблоками оделил.

Ходил, ходил Заяц и устал. Присел было на какой-то бугорок, как вдруг...

– Спасибо, дружище! – сказал Крот и исчез под землёй вместе с яблоками.

В заячьем домике давно ждут папу-Зайца. Чтобы скоротать время, мама-Зайчиха рассказывает сказку своим голодным зайчатам.

И тут кто-то постучал в дверь...

Дверь распахнулась, и на пороге появились бельчата с большим лукошком, полным орехов.

– Вот! Это вам мама просила передать! – пропищали бельчата и убежали.

– Чудеса... – прошептала Зайчиха.

Пришёл Ёжик с корзиной, полной грибов.

– Хозяин дома? – спросил он Зайчиху.

– Да нет. Как с утра пошёл, так и не возвращался.

Попрощался Ёж, ушёл, а корзину с грибами оставил Зайчихе.

Соседка Коза принесла капусты и крынку молока.

– Это для ваших детей, – сказала она Зайчихе.

Чудеса продолжались...

Со стуком откинулась крышка подпола, и показалась голова Крота.

– Это дом Зайца? – спросил он.

– Да, мы тут живём, – сказала Зайчиха.

– Значит, я правильно подкоп вёл! – обрадовался Крот, и полетели из подпола всякие овощи: морковка, картошка, петрушка, свёкла. – Привет Зайцу! – крикнул Крот и исчез под землёй.

А Ворона всё каркает:

– Карр! Карр! Всем яблоки раздавал, а меня хоть бы одним яблочком угостил!

Смутился Заяц, вытряхнул из мешка последнее яблоко:

– Вот... Самое лучшее! Клюй на здоровье!

– Очень мне нужно твоё яблоко, я их терпеть не могу! Карр! Карр! Что делается! Родным голодным детишкам пустой мешок несёт!

– А я... А я сейчас обратно в лес пойду и снова мешок полный принесу!

– Куда же ты пойдёшь, глупый! Смотри, какая туча собирается!

И побежал Заяц обратно в лес.

А когда прибежал к своей заветной яблоне, то там...

Увидел Волк Зайца, облизнулся и спрашивает:
– Тебе что здесь нужно?
– Я... Яблочки хотел собрать... Зайчатам...
– Значит, ты яблочки любишь?

– Лю... Люблю.

– А я зайцев очень люблю! – зарычал Волк и бросился на Зайца.

Вот тут-то и пригодился Зайцу пустой мешок.

Уже поздно ночью приплёлся Заяц к своему дому.

А дома давно крепким сном спали сытые зайчата. Только одна Зайчиха не спала: тихо плакала в своём уголке.

Вдруг скрипнула дверь.

Вскочили зайчата:

– Ура! Папа пришёл!

Зайчиха подбежала к двери: на пороге стоял Заяц, весь мокрый.

– Я ничего... совсем ничего вам не принёс, – прошептал он.

– Зайчик мой бедный! – воскликнула Зайчиха.

И вдруг страшный удар потряс дом.

– Это он! Волк! Заприте дверь! Прячьтесь все! – закричал Заяц.

Зазвенели стёкла, распахнулось окошко, и появилась большая голова Медведя.

– Вот! Держи от меня подарок, – прорычал Медведь. – Мёд настоящий, липовый...

Утром вся заячья семья собралась за столом. А на столе чего только нет! Грибы и орехи, свёкла и капуста, мёд и репа, морковь и картошка.

А злая Ворона удивляется:

– Никак ума не приложу: как могло из пустого мешка столько добра появиться?

ПАЛОЧКА-ВЫРУЧАЛОЧКА

Шёл Ёжик домой. По дороге нагнал его Заяц, и пошли они вместе. Вдвоём дорога вдвое короче.

До дома далеко – идут, разговаривают.

А поперёк дороги палка лежала.

За разговором Заяц её не заметил – споткнулся, чуть было не упал.

– Ах ты!.. – рассердился Заяц. Наподдал палку ногой, и она далеко в сторону отлетела.

А Ёжик поднял палку, закинул её себе на плечо и побежал догонять Зайца.

Увидел Заяц у Ежа палку, удивился:

– Зачем тебе палка? Что в ней толку?

– Эта палка не простая, – объяснил Ёжик. – Это палочка-выручалочка.

Заяц в ответ только фыркнул.

Пошли они дальше и дошли до ручья.

Заяц одним прыжком перескочил через ручей и крикнул уже с другого берега:

– Эй, Колючая Голова, бросай свою палку, тебе с нею сюда не перебраться!

Ничего не ответил Ёжик, отступил немного назад, разбежался, воткнул на бегу палку в середину ручья, одним махом перелетел на другой берег и стал рядом с Зайцем как ни в чём не бывало.

Заяц от удивления даже рот разинул:

– Здо́рово ты, оказывается, прыгаешь!

– Я прыгать совсем не умею, – сказал Ёжик, – это палочка-выручалочка-через-всё-скакалочка мне помогла.

Пошли дальше. Прошли немного и вышли к болоту.

Заяц с кочки на кочку прыгает. Ёжик позади идёт, перед собой палкой дорогу проверяет.

– Эй, Колючая Голова, что ты там плетёшься еле-еле? Наверно, твоя палка...

Не успел Заяц договорить, как сорвался с кочки и провалился в трясину по самые уши. Вот-вот захлебнётся и утонет.

Перебрался Ёжик на кочку, поближе к Зайцу, и кричит:

– Хватайся за палку! Да покрепче!

Ухватился Заяц за палку. Ёжик изо всех сил дёрнул и вытянул своего друга из болота.

Когда выбрались на сухое место, Заяц говорит Ежу:

– Спасибо тебе, Ёжик, спас ты меня!

– Что ты! Это палочка-выручалочка-из-беды-вытягалочка!

Пошли дальше и у самой опушки большого тёмного леса увидели на земле птенчика. Он выпал из гнезда и жалобно пищал, а родители кружились над ним, не зная, что делать.

– Помогите, помогите! – чирикали они.

Гнездо высоко – никак не достанешь. Ни Ёж, ни Заяц по деревьям лазать не умеют. А помочь надо.

Думал Ёжик, думал и придумал.

– Становись лицом к дереву! – скомандовал он Зайцу.

Заяц стал лицом к дереву. Ёжик посадил птенца на кончик своей палки, залез с ней Зайцу на плечи, поднял как мог палку и достал почти до самого гнезда.

Птенчик ещё раз пискнул и прыгнул прямо в гнездо.

Вот обрадовались его папа и мама! Вьются вокруг Зайца и Ежа, чирикают:

– Спасибо, спасибо, спасибо!

А Заяц говорит Ежу:

– Молодец, Ёжик! Хорошо придумал!

– Что ты! Это всё палочка-выручалочка-наверх-поднималочка!

Вошли в лес. Чем дальше идут, тем лес гуще, темнее. Страшно Зайцу. А Ёжик виду не подаёт: идёт впереди, палкой ветки раздвигает.

И вдруг из-за дерева прямо на них огромный Волк выскочил, загородил дорогу, зарычал:

– Стой!

Остановились Заяц с Ежом.

Волк облизнулся, лязгнул зубами и сказал:

– Тебя, Ёж, я не трону, ты колючий, а вот тебя, Косой, целиком съем, с хвостом и ушами!

Задрожал Зайчик от страха, побелел весь, как в зимнюю пору, бежать не может: ноги к земле приросли. Закрыл глаза – сейчас его Волк съест.

Только Ёжик не растерялся: размахнулся своей палкой и что есть силы огрел Волка по спине.

Взвыл Волк от боли, подпрыгнул – и бежать...

Так и убежал, ни разу не обернувшись.

– Спасибо тебе, Ёжик, ты меня теперь и от Волка спас!

– Это палочка-выручалочка-по-врагу-ударялочка, – ответил Ёжик.

Пошли дальше. Прошли лес и вышли на дорогу. А дорога тяжёлая, в гору идёт.

Ёжик впереди топает, на палочку опирается, а бедный Заяц отстал, чуть не падает от усталости.

До дома совсем близко, а Заяц дальше идти не может.

– Ничего, – сказал Ёжик, – держись за мою палочку.

Ухватился Заяц за палку, и потащил его Ёжик в гору.

И показалось Зайцу, будто идти легче стало.

– Смотри-ка, – говорит он Ежу, – твоя палочка-выручалочка и на этот раз мне помогла.

Так и привёл Ёжик Зайца к нему домой, а там давно его поджидала Зайчиха с зайчатами.

Радуются встрече, а Заяц и говорит Ежу:

– Кабы не эта волшебная палочка-выручалочка, не видать бы мне родного дома.

Усмехнулся Ёжик и говорит:

– Бери от меня в подарок эту палочку, может быть, она тебе ещё пригодится.

Заяц даже опешил:

– А как же сам ты без такой волшебной палочки-выручалочки останешься?

– Ничего, – ответил Ёжик, – палку всегда найти можно, а вот выручалку, – он постучал себя по лбу, – а выручалка-то вот она где!

Тут всё понял Заяц:

– Верно ты сказал: важна не палка, а умная голова да доброе сердце!

КОТ-РЫБОЛОВ

Пошёл как-то Кот на речку рыбу ловить и у самой опушки Лису встретил.

Помахала Лиса пушистым хвостом и говорит медовым голоском:

– Здравствуй, кум-куманёк, пушистый коток! Вижу, рыбку ловить собрался?

– Да вот хочу котятам моим рыбки принести.

Лиса глаза опустила и совсем тихо спрашивает:

– Может быть, ты и меня рыбкой угостишь? А то всё куры да утки...

Усмехнулся Кот:

– Так и быть. Первую рыбку тебе отдам.

– Уж не знаю, как тебя благодарить.

– Ладно, ладно.

Пошёл Кот дальше, а Лиса за ним вприпрыжку бежит и про себя шепчет:

– Первая рыбка моя, первая рыбка моя!..

А тут из-за ствола мохнатой ели вышел им навстречу большой лохматый Серый Волк.

– Здоро́во, браток! – прохрипел Волк. – На рыбалку топаешь?

– Да вот, хочу котятам...

– Ну а мне... рыбёшки подбросишь, браток? А то всё козы да овцы, козлы да бараны... Мне бы чего-нибудь постненького!

Усмехнулся Кот:

– Ну ладно. Первая рыбка Лисе, а вторая – тебе!

– Молодец, браток! Спасибо!

– Ладно, ладно.

И все пошли дальше, к реке поближе. Шагает Кот по лесу, за ним Лиса вприпрыжку бежит, про себя шепчет: «Первая рыбка моя, первая рыбка моя!»

Волк позади ковыляет, бормочет:

– А вторая моя! А вторая моя!

Вдруг из самой чащи вышел Медведь. Увидел Кота с удочкой, как заревёт:

– Эй, сынок! Ты что – рыбу ловить?

– Вот хочу котятам...

– Слушай, сынок, неужели мне, старику, рыбы не дашь? Я ведь до смерти люблю рыбу-то! А то всё быки да коровы, с рогами да копытами...

Кот усмехнулся в усы, говорит:

– Первую рыбку я Лисе обещал, вторую Волку, а тебе уж третья будет.

– Пусть третья, только чтоб самая большая!

– Ладно.

И все дальше пошли, к реке поближе.

Впереди Кот шагает, за ним Лиса вприпрыжку бежит, за Лисой Волк крадётся, позади всех Медведь вперевалку топает.

– Первая рыбка – чур, моя! – шепчет лиса.

– А вторая – моя... – бормочет Волк.

– А третья – вот такая – моя! – рычит Медведь.

Так и пришли все к реке.

Снял с себя Кот мешок, рядом ведёрко поставил, стал удочку разматывать. Лиса, Волк и Медведь в кустах неподалёку устроились: своей доли улова дожидаются.

Насадил Кот на крючок червяка, закинул удочку, уселся поудобнее и на поплавок уставился.

Приятели в кустах тоже с поплавка глаз не сводят. Ждут.

Лиса шепчет:

– Ловись, рыбка, большая и маленькая...

И вдруг поплавок дрогнул.

Лиса ахнула:

– Ах, моя рыбка клюёт!

Поплавок на воде заплясал, запрыгал; от него круги во все стороны побежали.

– Дёргай! Дёргай! Тащи мою рыбку! – закричала Лиса.

Испугался Кот – дёрнул. Сверкнула серебром рыбка и с плеском ушла под воду.

– Сорвалась! – прохрипел Волк. – Поторопилась, глупая, крик подняла... Ну, теперь моя очередь! Моя-то уж не сорвётся!

Насадил Кот на крючок нового червяка и снова закинул удочку.

Потирает Волк лапы, приговаривает:

– Ловись, рыбка, большая и крупная... Ловись...

Тут как раз поплавок вздрогнул и пошёл гулять по воде. Кот удилище уже в лапку забрал.

– Не дёргай! – рычит Волк. – Дай рыбе покрепче зацепиться.

Отпустил Кот удочку, а поплавок вдруг сразу остановился.

– Вот теперь тащи! – скомандовал Волк.

Кот дёрнул удочку – на конце лески голый крючок болтается.

– Дождался, – хихикнула Лиса. – Твоя рыбка всего червяка объела!

Кот насадил на крючок нового червяка и в третий раз закинул удочку.

– Ну, теперь тихо! – рявкнул Медведь. – Если мою рыбку спугнёте – я вам!.. Вот она!!!

Поплавок весь ушёл под воду, леска как струна натянулась: вот-вот оборвётся...

– Хо-хо! – радуется Медведь. – Это моя! Как наказывал, самая большая!

Кот еле-еле на берегу держится: рыбина, того и гляди, его в воду стащит.

Вот из воды уже показалась страшная, усатая морда...

Вот так сом!

– Я первая, это моя!.. Не дам!!! – вдруг взвизгнула Лиса и кинулась в реку.

– Не-е-е-ет, шалишь... Моя будет! – зарычал Волк и нырнул вслед за Лисой.

Медведь на берегу ревёт во всё горло:

– Ограбили!.. Разбойники!..

А в воде уже бой идёт: Волк и Лиса друг у друга рыбу выдирают.

Медведь не долго думал и с разбегу тоже бултыхнулся в воду.

Вода в реке как в котле кипит. То и дело наверх чья-нибудь голова вынырнет: то лисья, то волчья, то медвежья. Из-за чего дерутся – неизвестно. Рыба-то уже давно уплыла.

Усмехнулся Кот в усы, смотал удочку и пошёл другое место искать. Где поспокойнее.

ЁЛКА

Посмотрели сегодня утром ребята на календарь, а там последний листок остался.

Милый дедушка Мороз!
Подари нам, пожалуй=
ста, ёлку на Новый
год!
А игрушки мы
сами сделаем.
Письмо тебе
отнесёт вот
такой Снеговик!

Ребята

Это Снеговик!

Дедушке
Морозу

от ребят

Завтра Новый год! Завтра ёлка! Игрушки будут готовы, а вот ёлки нет. Решили ребята написать Деду Морозу письмо, чтобы он прислал ёлку из дремучего леса – самую пушистую, самую красивую.

Написали ребята вот такое письмо и скорей побежали во двор – Снеговика лепить.

Работали все дружно: кто снег сгребал, кто шары катал...

На голову Снеговику старое ведро надели, глаза из угольков сделали, а вместо носа воткнули морковку.

Хороший получился Снеговик-почтовик!

Дали ему ребята своё письмо и сказали:

Снеговик, Снеговик,
Храбрый снежный почтовик,
В тёмный лес пойдёшь
И письмо снесёшь.

Дед Мороз письмо получит –
Найдёт в лесу ёлочку
Попушистее, получше,
В зелёных иголочках.

Эту ёлку поскорей
Принеси для всех детей!

Наступил вечер, ребята домой ушли, а Снеговик и говорит:

– Задали мне задачу! Куда мне идти теперь?

– Возьми меня с собой! – вдруг сказал щенок Бобик. – Я помогу тебе дорогу искать.

– Верно, вдвоём веселее! – обрадовался Снеговик. – Будешь меня с письмом охранять, дорогу запоминать.

Долго шли Снеговик и Бобик и наконец пришли в огромный, дремучий лес...

Выбежал навстречу им Заяц.

– Где тут Дед Мороз живёт? – спросил его Снеговик.

А Зайцу отвечать некогда: за ним Лиса гонится.

А Бобик: «Тяф, тяф!» – и тоже за Зайцем вдогонку.

Опечалился Снеговик:

– Видно, придётся мне дальше одному идти.

Тут как раз метель поднялась; завыл, закружил снежный буран...

Задрожал Снеговик и... рассыпался. Остались на снегу только ведро, письмо и морковка.

Прибежала обратно Лиса, злая:

– Где тот, кто помешал мне Зайца догнать?

Смотрит: никого нет, только письмо на снегу лежит. Схватила письмо и убежала.

Вернулся Бобик:

– Где Снеговик?

Нет Снеговика.

В это время Лису Волк нагнал.

– Что несёшь, кума? – зарычал Волк. – Давай делиться!

– Не хочу делиться, самой пригодится, – сказала Лиса и побежала.

Волк – за ней.

А любопытная Сорока за ними полетела.

Плачет Бобик, а зайцы говорят ему:
– Так тебе и надо: не гоняй нас, не пугай нас!..

– Не буду пугать, не буду гонять, – сказал Бобик, а сам ещё громче заплакал.

– Не плачь, мы тебе поможем, – сказали зайцы.
– А мы зайцам поможем, – сказали белки.

Стали зайцы Снеговика лепить, а белки – им помогать: лапками похлопывают, хвостиками обмахивают.

На голову ему опять ведро надели, глаза из угольков сделали, а вместо носа воткнули морковку.

– Спасибо, – сказал Снеговик, – что вы меня опять слепили. А теперь помогите мне Деда Мороза найти.

Повели его к Медведю. Медведь в берлоге спал – еле его разбудили.

Рассказал ему Снеговик про то, как послали его ребята с письмом к Деду Морозу.

– Письмо? – заревел Медведь. – Где оно?

Хватились – а письма-то и нет!

– Без письма вам Дед Мороз ёлку не даст, – сказал Медведь. – Лучше идите назад домой, а я вас из лесу провожу.

Вдруг, откуда ни возьмись, прилетела Сорока, трещит:

– Вот письмо! Вот письмо!

И рассказала Сорока, как письмо нашла.

А было всё вот как.

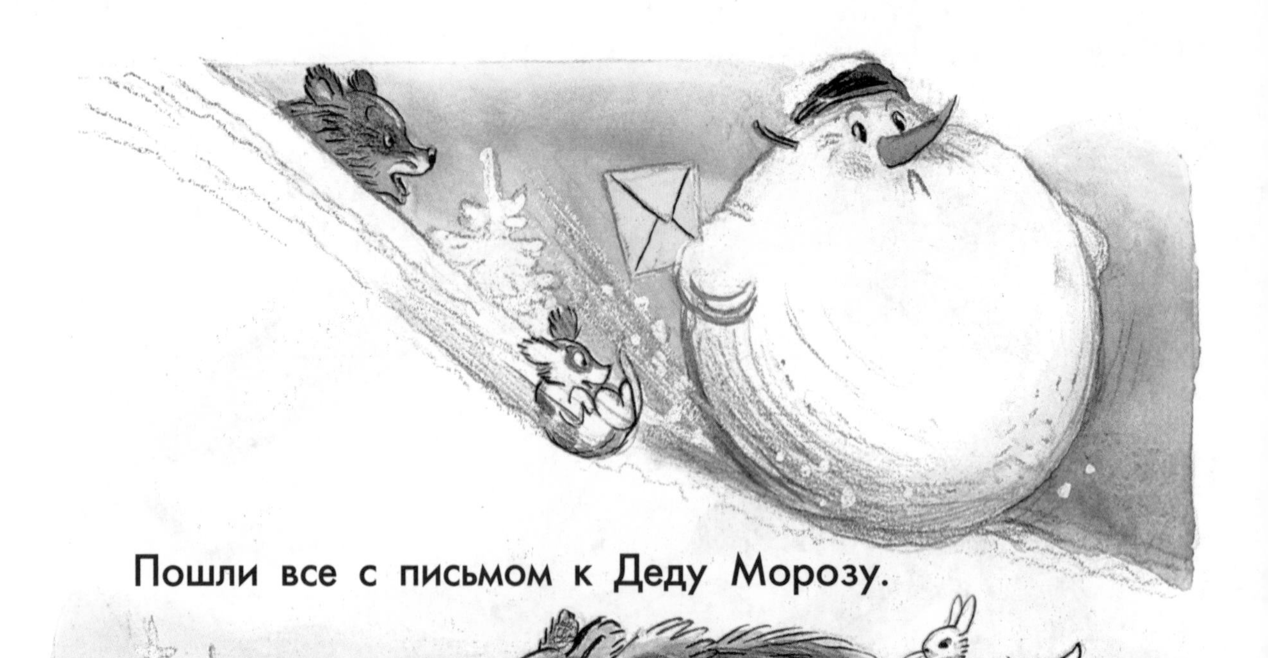

Пошли все с письмом к Деду Морозу.

Снеговик спешит, волнуется: то с горки скатится, то в яму провалится, то за пень зацепится.

Хорошо, Медведь его выручал, а то бы опять рассыпался Снеговик.

Наконец пришли к Деду Морозу.

Прочитал Дед Мороз письмо и сказал:

– Что ж так поздно? Не успеешь ты, Снеговик, принести ребятам ёлку к Новому году.

Тут все за Снеговика стали заступаться, рассказали, что с ним было. Дед Мороз дал ему свои сани, и помчался Снеговик с ёлкой к ребятам.

Медведь к себе домой пошёл – спать до самой весны.

А утром Снеговик стоял на прежнем месте, только у него в руках вместо письма была ёлка.

ДЯДЯ МИША

Зашёл как-то Медведь к Зайцу в огород и спрашивает:

– Как дела, Косой?

– Да вот, морковку дёргаю, дядя Миша.

– А хороша морковка-то?

– Хороша, дядя Миша, да только сидит глубоко.

– Мне, пожалуй, тоже морковки нужно, – задумчиво сказал Медведь, – в запас на зиму...

– На здоровье, дядя Миша! Бери сколько хочешь!

Поплевал Медведь себе на лапы и пошёл морковь дёргать, да так, что она во все стороны полетела...

Как раз мимо Ёжик проходил, и одна морковка ему прямо в голову угодила и на колючках повисла.

– Безобразие какое! – зашипел Ёжик. – Что это тут делается?

– Морковку дёргаем! – рявкнул Медведь. – А ты куда собрался, Колючая Голова?!

– В лес иду. За груздями, за белыми грибами!

— Вот грибы — это дело! — обрадовался Медведь. — Мне запас на зиму нужен. Идём за груздями, за белыми грибами!

— Дядя Миша, — пискнул Заяц, — а как же морковка?

— Морковка, морковка... — рассердился Медведь. — Сам её кушай, а я грибы больше люблю!

И пошёл за Ёжиком в лес.

Ходит Ёжик по лесу, грибы собирает и себе на колючки накалывает, а неуклюжий Медведь их больше ногами топчет.

Белка ему с дерева кричит:

– Что это ты, дядя Миша, всё кланяешься?

– Да вот, грибы собираю – себе запас на зиму делаю, – отвечает Медведь.

– Ну что твои грибы, – пищит Белка, – ты лучше орешков попробуй!

Попробовал Медведь орехов, и они ему очень понравились.

– Вот это дело! Я их сразу, одним махом соберу. Вот так!

Обхватил Медведь лапами целый куст орешника, полный спелых орехов, и вырвал его из земли прямо с корнями, потом взвалил себе на спину и потащил. Увидел это Ёжик, только лапками развёл.

Тут навстречу Медведю Кот с удочками.

– Куда собрался, Усатый? – остановил его Медведь.

– На рыбалку, дядя Миша. Хочу котятам рыбки наловить.

– Рыбки? Я люблю рыбку, – облизнулся Медведь. – Мне очень нужно на зиму рыбкой запастись.

– Что ж, пошли! У меня как раз лишняя удочка есть, – сказал Кот.

Пошли на рыбалку.

Вдруг Кот спрашивает:

– Постой! А как же твои орехи, дядя Миша?

– Да что орехи... Мелочь. Идём скорее рыбу ловить, мне её много на зиму нужно.

Пришли на речку.

Только закинули удочки – Лиса тут как тут!

Подсела к Медведю и хихикает:

– Пустяками ты, дядя Миша, занимаешься.

– Как это пустяками? – обиделся Медведь. – Мне рыба в запас на зиму нужна.

– Да много ли ты её наловишь? И какая радость целую зиму рыбу жевать? – говорит Лиса. – Я лучше тебе другое дело предложу. Всю зиму меня благодарить будешь.

– Что за дело? – спросил Медведь.

– Пойдём-ка в деревню, кур, уток таскать.

– Кур? Уток? Идём скорее! – обрадовался Медведь и удочку бросил.

– Дядя Миша, у тебя рыбка клюёт! – кричит Кот.

– Пускай клюёт. Рыба не курица, – проворчал Медведь и пошёл за Лисой.

Когда стемнело, Медведь и Лиса по задам деревни подкрались к колхозному птичнику.

Лиса доску в заборе отодвинула и шепчет:

– Ты, дядя Миша, посторожи здесь, а я тебе курочек и уточек вынесу сколько твоей душеньке захочется.

– Ладно, – говорит Медведь, – только поскорее приходи, побольше приноси. Мне запас на зиму нужен.

Ходит Медведь вдоль забора туда-сюда, смотрит по сторонам, прислушивается... Но недолго ему пришлось сторожить: собак со всей деревни набежало видимо-невидимо! И все рычат, лают-заливаются, того и гляди, разорвут!

Забыл Медведь про кур, про уток, про Лису-плутовку и со всех ног бросился бежать...

Собаки целой сворой – за ним! Так и гнали бедного Мишку до самого леса.

Тем временем Лиса со своей добычей незаметно выбралась из птичника и побежала. Только её и видели!

А утром лежит Медведь в лесу под деревом, стонет, охает...

Мимо Мышонок пробегал, увидел Медведя, остановился.

– Что с вами, дядя Миша?

– Да вот, собаки... Вчера всю шкуру с меня чуть не содрали.

– Собаки? Это нехорошо, – пискнул Мышонок.

– Я хотел, понимаешь, себе на зиму запас сделать...

– Запас – это хорошо, – пискнул Мышонок.

– Я и морковку дёргал, и грибы собирал, и орехи рвал, рыбу удил, кур таскал...

– Кур таскал? Это нехорошо, – пискнул Мышонок.

– Всё делал – и вот с пустыми лапами остался...

– Что же теперь делать будете, дядя Миша? – спросил Мышонок.

– Делать нечего, – сказал Медведь. – Зима на носу. Залягу в берлогу, буду до весны лапу сосать...

– Эх, дядя Миша! – пискнул Мышонок. Он хотел, видно, ещё что-то сказать, да только махнул лапкой, свистнул и побежал дальше.

А что тут скажешь?

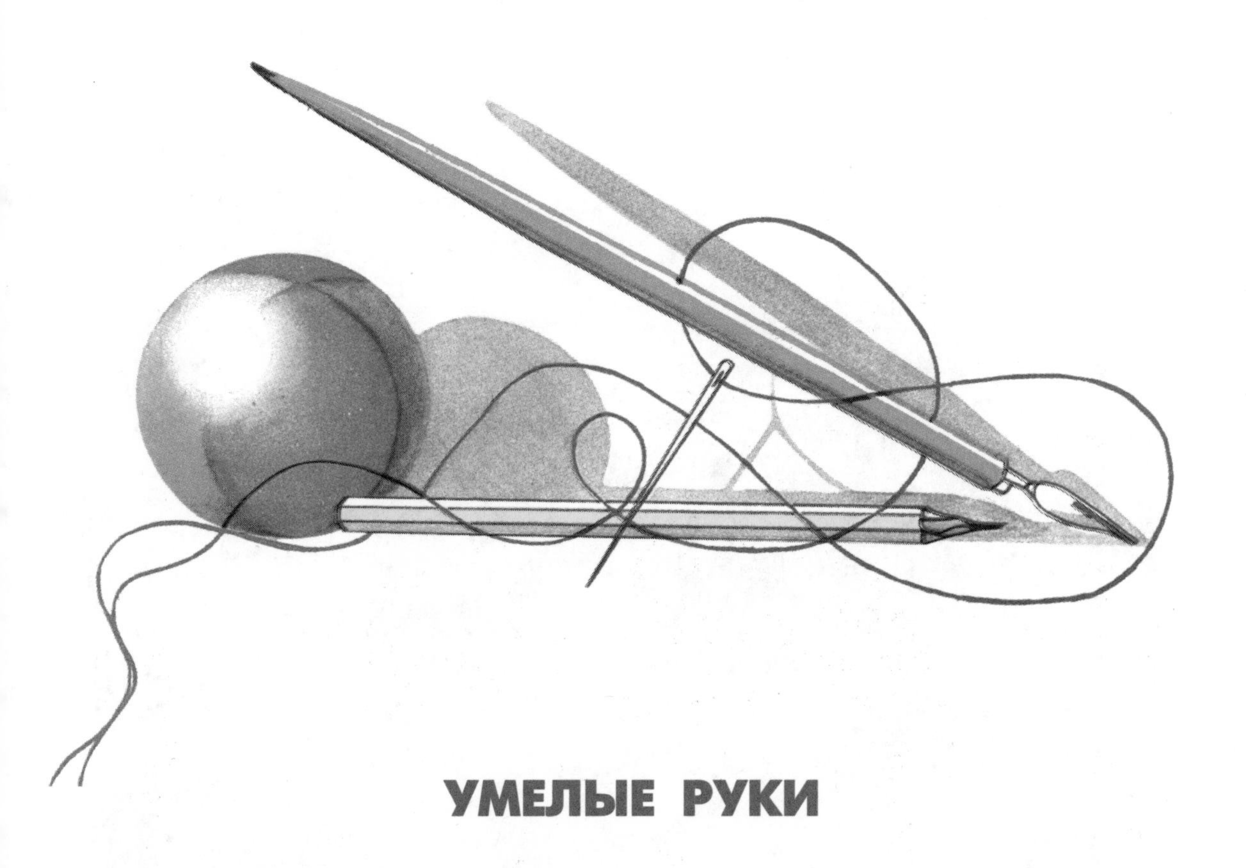

УМЕЛЫЕ РУКИ

Поспорили как-то между собой Иголка, Карандаш, Ручка и Мячик, кто из них лучше.

– Я всех лучше! – сказала Иголка. – Посмотрите, какая я острая...

– Нет, это я всех лучше! – сказал Карандаш. – Я деревянный, и на мне золотыми буквами написано: «Пионер».

– Я гораздо лучше! – крикнула Ручка. – Я вся из прекрасной пластмассы, а перо у меня блестит, как серебро.

Мячик ничего не сказал, но все поняли, что он тоже считал себя лучше всех.

Долго они спорили, кричали и так и не могли решить, кто же из них всех лучше.

И вдруг пришли Умелые Руки.

– Здравствуй, моя милая Иголочка! – сказали Умелые Руки.

Взяли Иголку, продели ей в ушко яркую нитку и на кусочке полотна вышили крестиком вот такого петушка:

– Вот видите, какая я мастерица! – гордо сказала Иголка. – Я вам говорила!..

Приуныли Карандаш, Ручка и Мячик – правда, петушок был очень красив.

– Здравствуй, дорогой мой Карандашик! – сказали Умелые Руки.

Взяли Карандаш, листочек бумаги и скоро-скоро нарисовали вот такую картинку:

– Смотрите, смотрите, какой я молодец! – хвастливо сказал Карандаш. – Ну кто скажет, что я не художник!

Ручка и Мячик от зависти ничего не могли сказать, только одна Иголка презрительно тряхнула своей ниткой и прошептала:

– Подумаешь, художник! Вышивать-то труднее...

А Умелые Руки взяли Ручку, обмакнули пёрышко в чернила и написали красивыми буквами:

Обрадовалась Ручка:

– Конечно, я всех лучше! Ну кто, кроме меня, так красиво напишет!

Тут все согласились, что Ручка хорошо написала и что записка не хуже петушка и картинки. Только Мячик обиделся, надулся и ничего не сказал, но все поняли, что он теперь не считает себя лучше других.

И всем даже жалко его стало.

Вдруг Умелые Руки взяли Мячик и пошли с ним в сад, и Мячик весело запрыгал высоко-высоко!

– Вот как я умею! Вот как я прыгаю! Вот как! Вот как! – радостно закричал Мячик.

Пришла мама.

Она полюбовалась вышитым петушком, картинкой, прочитала записку и выглянула в окно – там Умелые Руки играли Мячиком. Мама улыбнулась и сказала:

– Славная моя дочка – Умелые Руки!

СКАЗОЧНЫЕ ИСТОРИИ И СКАЗОЧНЫЕ ПОВЕСТИ

ТЕРЕМ-ТЕРЕМОК

Летала Муха по лесу, устала, присела на веточку отдохнуть и вдруг увидела: среди леса в густой траве стоит... терем-теремок!

Подлетела к теремку Муха, покружилась над ним, заглянула внутрь и воскликнула:

– Вот так терем-теремок! Да тут и нет никого! Буду здесь жить.

Стала Муха в том теремке жить-поживать.

А тут как-то Мышка бежала и ненароком теремок заметила.

– Вот так терем-теремок! И кто там в тереме живёт? – спросила Мышка.

Муха из окошка выглянула.

– Я живу тут – Муха-Горюха. А ты кто?

– А я – Мышка-Норушка. Пусти меня в теремок.

Подумала Муха и сказала:

– Заходи. Живи на здоровье.

Стали они вдвоём жить.

А тут, как только дождик прошёл, откуда ни возьмись Лягушка: шлёп! шлёп!

К теремку прискакала, в цветок-колокольчик позвонила: динь-динь!

– Ква-ква, кто в теремочке живёт-поживает?

Открылось окошко.

– Я – Муха-Горюха.

– Я – Мышка-Норушка. А ты кто такая?

– Я – Лягушка-Квакушка. Пустите меня в теремок.

Переглянулись Муха с Мышкой и сказали:

– Милости просим!

Вдвоём – хорошо, а втроём – ещё лучше. Стали они втроём жить-поживать, добра наживать.

Шёл по лесу Петух и увидел теремок, остановился, крыльями захлопал, шею вытянул – как закричит:

– Ку-ка-ре-ку!

А потом ещё громче:

– Кто, кто в теремочке живёт?

Тут все, кто в теремочке был, ему навстречу вышли и назвались:

– Я – Муха-Горюха.

– Я – Мышка-Норушка.

– А я – Лягушка-Квакушка.

И его спросили:

– А ты кто?

Петух приосанился, гребешком тряхнул, шпорами звякнул и крикнул ещё громче:

– Я – Петушок – Золотой Гребешок! Хочу у вас жить!

И все хором сказали:

– Добро пожаловать!

Стали теперь вчетвером жить.

Убегал от Лисы Заяц.

Скакал, кружил по лесу, по зелёной травке и на теремок случайно наскочил.

– Вот так терем-теремок! – подивился Заяц. – И кто же там в теремочке живёт?

И стал изо всех сил в дверь барабанить.

А там, за дверью, стоят все, открыть боятся...

Муха за всех ответила:

– Здесь мы живём. Я – Муха-Горюха, ещё Мышка-Норушка да Лягушка-Квакушка и Петушок – Золотой Гребешок. А ты кто?

– Я?.. Я – Зайчик-Побегайчик, пустите меня поскорее... За мной Лиса гонится.

Тут дверь распахнулась и все разом сказали:

– Входи. Местечко найдётся.

И стали теперь впятером жить.

Тут нежданно-негаданно буря разразилась: потемнело кругом, гром загремел, молния засверкала, полил дождь проливной.

И в самую-то непогоду кто-то большой к теремку пришёл. Как зарычит на весь лес:

– Эй! Эй! Кто там в теремочке живёт?

Как ударит в дверь – чуть было её с петель не сорвал.

И на этот раз Муха не побоялась: окошко приоткрыла, в щёлку выглянула и пискнула:

– Мы все тут живём: Муха-Горюха, Мышка-Норушка, Лягушка-Квакушка, Петушок – Золотой Гребешок и Зайчик-Побегайчик. А ты кто такой?

– Я – Медведь Косолапый. Я промок и продрог. Пустите меня обсушиться, обогреться...

– Мы бы рады, – сказала Муха, – да тебе здесь никак не поместиться. Прощенья просим!

Огорчился медведь: куда ему деться, где обсушиться и где согреться?

Вот и полез он на крышу, к тёплой трубе поближе...

Только теремок не выдержал Медведя и развалился под ним! Хорошо – никого не придавило: все успели разбежаться.

Когда дождь прошёл и небо прояснилось, собрались все у обломков теремка.

– Вот и нет теремочка, и негде нам теперь жить, – сказала Мышка и заплакала.

Подошёл Медведь, низко всем поклонился и сказал:

– Простите меня... Ах, виноват я!..

– Простим, – сказали ему, – если новый теремок поможешь поставить. Сумел сломать, сумей и построить!

Стали все новый теремок строить. А Медведь больше всех старается, самую тяжёлую работу делает.

Вот и построили новый терем-теремок, ещё лучше, и больше и красивее прежнего.

И все там поместились, и ещё для гостей место осталось!

Теперь дружно вшестером живут-поживают!

РАЗ, ДВА – ДРУЖНО!

Однажды ночью в лесу разразилась страшная гроза. Зашумел, загудел ветер, пошёл сильный дождь. Зверушки попрятались кто куда, а Лось скрылся от непогоды под старой елью.

Буря повалила дерево, тяжёлый ствол крепко прижал к земле ветвистые рога Лося, и он оказался в ловушке...

Утром на полянку пришёл Ёжик, увидел Лося в беде, всплеснул лапками:

– Ах, бедняга! Сейчас я помогу тебе.

Попробовал поднять дерево. Куда там! Оно и не шелохнулось.

Невдалеке, на верхушке берёзы, Сорока стрекочет:

– Кому жить-поживать, кому здесь погибать...

Рассердился Ёжик:

– Кышь отсюда, негодная!

– Я тебе этого не прощу, не прощу! – крикнула Сорока и улетела.

Прилетела Сорока в самую чащу леса, а там под корягой Волк лежал, зубами щёлкал.

– Разлёгся тут, Серый, – застрекотала Сорока, – и не знаешь, что тебя богатая добыча дожидается.

Вскочил Волк, зарычал:

– Где добыча?

– Лося деревом придавило. Я тебе дорогу покажу.

Тем временем на полянке Заяц появился, стал Ёжику помогать.

Достали они длинную палку, под ствол упавшего дерева подсунули, на пенёк опёрли и нажали что было сил.

– Раз, два – дружно!

Дерево даже не дрогнуло.

А по лесу к ним Волк трусит, торопится.

Впереди Сорока летит, дорогу указывает.

Навстречу им Одноухий Волк.

– Здоро́во, Серый. Куда путь держишь?

– Некогда мне. Меня богатая добыча ждёт.

– И я с вами, – рявкнул Одноухий...

Устали Ёжик и Заяц. Только присели отдохнуть – Зайчиха прибежала и давай Зайца отчитывать:

– Вот где ты, негодный?! Дома обед готов. Зайчата тебя дожидаются...

– Видишь, несчастье-то какое, – сказал Заяц и на Лося лапкой показал.

Заплакала Зайчиха:

– Ах, как теперь ему помочь, горемычному?

Тут плачь не плачь, надо Лося выручать. Стала Зайчиха помогать Зайцу и Ёжику.

В это время по лесу два волка бегут, а впереди них Сорока летит, дорогу показывает.

Им навстречу Куцый Волк вышел.

– Куда торопитесь, братцы?

– Не задерживай. Добыча нас ждёт большая...

– И я с вами, – зарычал Куцый.

Побежали вместе.

А возле Лося мелкота старается.

– Раз, два – дружно! – кричат Ёжик и Заяц с Зайчихой.

Никак не удаётся раскачать тяжёлое дерево.

Белки с дерева пищат:

– Сейчас мы вам поможем!

Не ведают они, что уже три волка по лесу бегут, Сорока впереди дорогу показывает.

Устали серые разбойники, запыхались.

Сорока их подбадривает:

– Ничего, теперь совсем близко.

Близко-то близко, да успеют ли? Ведь и зверята не ленятся.

– Раз, два – дружно! – Ёжик, Заяц, Зайчиха и белки всей тяжестью навалились на рычаг, и ствол дерева стал немного приподниматься...

Мимо Мышка пробегала.

– Что это тут делается?

– Эй, Мышка, иди сюда скорей, помоги нам!

– Сейчас, только Лягушку позову.

Прискакала Лягушка, и вместе с Мышкой стали они помогать. Опять все нажимают на рычаг, гнётся он, того и гляди, сломается.

– Раз-два-а...

Ещё выше поднялся ствол дерева.

А тут как раз Муравей мимо пробегал.

Увидел Ёжик Муравья, кричит:

– Эй, Муравей, помоги нам скорей!

Взбежал Муравей на высокую ветку и оттуда прыгнул вниз прямо на конец рычага...

– Дружно!!!

Ещё приподняли ствол дерева и освободили бедного Лося.

– Ура! – закричали зверушки.

А Лось низко всем поклонился и сказал:

– Спасибо вам, друзья. Спасли вы меня. А тебе, Ёжик, особенная благодарность.

– Это Муравей помог, – сказал Ёжик. – Если бы не он...

– Что вы? – смутился Муравей. – Я такой маленький!

– Маленький, а большое дело сделал!

Когда волки прибежали на полянку, там уже никого не было.

– Где, где же добыча? – зарычали они.

– Прямо не знаю, – застрекотала Сорока, – и кто это Лося освободил? Ума не приложу...

Тут из-под ствола упавшей ели выполз маленький Муравей и гордо сказал:

– Это я. Я его освободил!

ПРО БЕГЕМОТА, КОТОРЫЙ БОЯЛСЯ ПРИВИВОК

На пляже было очень весело. Больше всех веселился Бегемот, плескаясь в тёплой воде под яркими лучами солнца.

Когда Бегемот вылез из воды на берег, он увидел большое объявление.

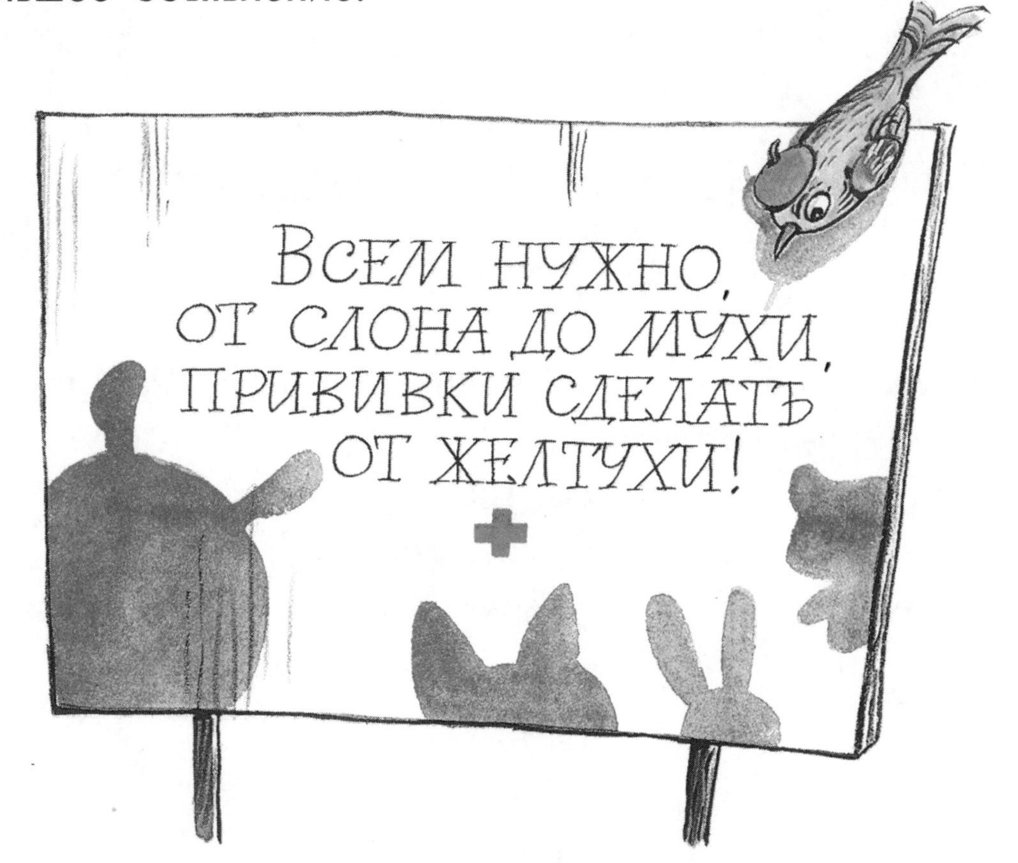

Не успел Бегемот прийти домой, как тут же прискакал Кенгуру-почтальон:

– Вот повестка: вам явиться на прививку.

Бегемот не на шутку испугался.

– Чепуха, – сказал ему друг Марабу. – Уколют – раз! – и всё!

В приёмной поликлиники Бегемот дрожал от страха.

– А ты будешь меня за руку держать? – всё время спрашивал он своего друга Марабу.

– Буду, буду... – отвечал Марабу.

О ПОЛЬЗЕ
ЗАКАЛИВАНИЯ
ПРИКАЗ

– В первый раз вижу белого Бегемота! – воскликнул Доктор. – А может быть, он просто боится укола?

– Это особенный Бегемот, – объяснил Марабу, – он когда как: то серый, то белый...

Пока Доктор выбирал иголку побольше, специально для бегемотовой кожи, Бегемот исчез...

Все бросились искать Бегемота.

– Его нужно найти! Он может заболеть желтухой!

А Бегемот спрятался от преследователей и спокойно пошёл домой.

На другое утро Марабу зашёл к Бегемоту и, увидев его, в ужасе закричал:

– Что с тобой? Ты совсем жёлтый! Как лимон!

Марабу немедленно позвонил Доктору:

– Доктор, что делать? Бегемот стал жёлтый-прежёлтый...

– Но вы же сами говорили – ваш Бегемот особенный: он то серый, то белый...

– Да нет, Доктор, тогда он просто побелел от страха.

– Ах так!.. Это другое дело. Очевидно, у него желтуха. Высылаю «скорую помощь»!

Обезьянки-санитары быстро отнесли на носилках Бегемота в машину «скорой помощи» и увезли в больницу.

БЕГЕМОТ
ОБЫКНОВЕННЫЙ
ГЕПАТИТ „А"
(ЖЕЛТУХА)

Когда Марабу пришёл в больницу навестить своего больного друга, Бегемот попросил его:

– Мне очень скучно лежать: расскажи какую-нибудь сказку.

– Хорошо, – сказал Марабу. – «Жил-был Бегемот. Он ужас до чего боялся прививок...»

– Смотрите! – закричал Доктор. – Что с Бегемотом? Он был серым, белым, жёлтым, а теперь он совсем красный! Это какой-то необыкновенный Бегемот!

– Нет, Доктор. Это самый обыкновенный Бегемот, – сказал Марабу, – только ему стыдно, что он так боялся прививок.

ПЕТЯ И КРАСНАЯ ШАПОЧКА

Больше всего на свете Петя любил сказки.

Ну, и что тут такого? Все мальчишки любят сказки, только почему-то стесняются в этом признаваться. Можно подумать, сказки только для одних девчонок пишутся.

Самыми любимыми были у Пети сказки Шарля Перро. А «Красную Шапочку» он уже давно знал просто наизусть!

Однажды Петя гулял в городском саду и вдруг увидел афишу: «Сегодня мультфильм! «Красная Шапочка». Петя даже подпрыгнул от радости и скорее побежал к кассе летнего кинотеатра. Но на кассе было написано: «Все билеты проданы!» Петя чуть не заплакал от досады и сер-

дито пнул ногой забор, которым был огорожен кинотеатр. Будто забор был виноват в том, что в кассе нет билетов.

И тут произошло что-то невероятное: доска забора отодвинулась, словно приглашая Петю внутрь кинотеатра. Петя раздумывал всего мгновенье, а затем шмыгнул в лаз. И доска за ним закрылась без шума и скрипа.

Пробираясь в кромешной темноте, то и дело натыкаясь на какие-то коробки, Петя мечтал поскорей очутиться перед экраном, чтобы не пропустить начало мультфильма. И вдруг экран возник прямо перед ним. На нём – на экране – вспыхнули и засветились непонятные слова «акчопаШ яансарК». Петя прочитал их слева направо, потом справа налево и понял, что это название фильма «Красная Шапочка». Значит, он оказался за экраном. Петя стал обходить экран и неожиданно очутился... на лесной полянке.

Он ещё не успел толком понять, что произошло, как на ту же самую полянку вышла маленькая девочка в красной шапочке и с корзинкой в руках.

«Наверное, я попал на сцену театра, а не на мультик, – подумал Петя. – Тогда, значит, лес – это декорации, а Красная Шапочка – артистка». Но тут из-за «декораций» на полянку выскочил настоящий волк и очень натурально облизнулся, обнажив длинные и острые клыки.

– Здравствуй, Красная Шапочка! Куда идёшь? – спросил Волк хриплым басом.

– Я иду к моей бабушке, – ответила Красная Шапочка вежливо.

– А где живёт твоя бабушка? – поинтересовался Волк.

– Молчи! Молчи! – зашептал Петя. Он сидел за кустом, и ни Волк, ни Красная Шапочка его не видели.

– Вот за тем лесом, возле мельницы, – махнула Красная Шапочка рукой.

– До чего же болтливы эти девчонки! – рассердился Петя и решительно шагнул из своего укрытия.

Но поздно. Волк уже мчался во всю свою волчью прыть к домику бабушки.

– Что ты наделала! – крикнул Петя. – Теперь Волк слопает твою бабушку!

Красная Шапочка обернулась и удивлённо посмотрела на Петю.

– Здравствуйте, – вежливо сказала Красная Шапочка. – Вы откуда?

Петя смутился и тоже поздоровался:

– Здравствуй.

– Вы, наверное, принц? – спросила девочка.

– Нет, я – Петя Иванов. А ты – Красная Шапочка. Я про тебя сказку читал. У нас все ребята эту сказку наизусть знают.

– Какую сказку? – удивилась Красная Шапочка.

Петя понял, что всё ей объяснять – только время терять, поэтому закричал изо всех сил:

– Ни о чём не спрашивай, беги скорее за охотниками! Зови к дому бабушки!

– Но мне нужно бабушке пирожок передать и горшочек масла, – Красная Шапочка показала Пете свою корзинку.

– Если сейчас же не побежишь за охотниками, то пирожок твоей бабушке уже не понадобится! – продолжал командовать Петя.

Красная Шапочка ойкнула от страха, потом послушно закивала головой и побежала по лесной тропинке к охотничьей сторожке. А Петя бросился догонять Волка.

Конечно, две ноги не сравнить с четырьмя лапами. Но Пете очень хотелось спасти бабушку, и поэтому он бежал как олимпийский чемпион. И ему удалось догнать Волка возле самой мельницы.

– Эй, Волк! – закричал Петя, задыхаясь от быстрого бега. – Остановитесь!

– Ещё чего! – довольно-таки невежливо буркнул Волк на бегу.

– Подождите! – крикнул Петя. – Я хочу сказать вам что-то очень важное!

Волк неожиданно остановился как вкопанный.

– В чём дело? – злобно спросил он. – Ты хочешь, чтобы я съел тебя?

– Не успеете! Вам спасаться надо! Сюда охотники идут! – сказал Петя.

– Да? – недоверчиво спросил Волк.

– Точно! Я сам... – и тут Петя чуть не сказал, что послал за ними Красную Шапочку, но вовремя спохватился. – Я сам видел! С ружьями идут. Прямо вам навстречу. Лучше вам идти кругóм.

– Ну, ладно, – Волк прыгнул в кусты. – Только смотри: обманешь – без соли съем! И без перца!

Серый волчий хвост мелькнул за деревьями и исчез в густом лесу.

Петя вздохнул с облегчением и побежал к домику бабушки. Надо же предупредить и спасти старушку от свирепого волка.

Бабушка, как и положено было ей по сказке, лежала в кровати и вязала чулок.

Петя постучал в дверь.

– Кто там? – спросила бабушка.

Петя тяжело вздохнул и соврал:

– Это я, Красная Шапочка.

А что ему оставалось делать? Не объяснять же старушке, кто он такой на самом деле. Во-первых, не поверит. Во-вторых, испугается. А то ещё и в обморок упадёт!

– Дёрни за верёвочку, дитя моё, дверь и откроется, – услышал Петя из-за двери знакомую ему по сказке фразу.

Петя дёрнул за верёвочку, вошёл в дом и прямо с порога закричал:

– Прячьтесь скорее! Здесь рядом Волк бродит, хочет вас слопать!

Бабушка сняла очки, внимательно посмотрела на Петю и сказала:

– Фи, молодой человек, что за выражение – «слопать»? Воспитанные люди говорят в подобных случаях: скушать, съесть, проглотить, в конце концов.

«И она сказку не читала», – огорчённо подумал Петя. А вслух сказал:

– Уважаемая бабушка, спешу вам сообщить, что рядом с вашим домом в настоящий момент находится

крупный серый хищник из семейства псовых, который вполне может вас скушать, если только...

– А-а-а!!! – вдруг громко закричала бабушка и, соскочив с кровати, прыгнула в шкаф.

Петя едва успел захлопнуть за бабушкой дверцу шкафа, как раздался стук в дверь.

Петя осторожно раздвинул шторы и увидел на крыльце серый хвост.

– Кто там? – спросил Петя, стараясь говорить бабушкиным голосом.

– Это я, внучка ваша, Красная Шапочка, – забубнил Волк.

Петя быстро бросил на кровать какой-то узел, прикрыл его одеялом, а на подушку положил клубок ниток, нацепив на него очки и бабушкин чепчик.

– Дёрни за верёвочку, дитя моё, – говорил при этом Петя, – дверь и откроется.

Дверь распахнулась, Волк влетел в комнату, а Петя, напротив, шмыгнул за порог.

Волк в один прыжок оказался возле кровати и проглотил чучело бабушки.

– Фу, какая гадость! – сказал Волк, выплёвывая очки. – До чего же невкусные старушки нынче пошли!

И бабушка в шкафу тихо икнула от страха.

– Надеюсь, внучка послаще будет, – сказал сам себе Волк, укладываясь в бабушкину кровать.

Петя в это время снял с верёвки бабушкин платок, повязал его, стараясь походить на девочку, и решительно постучал в дверь.

– Кто там? – пробасил из комнаты Волк.

– Это я... Красная Шапочка! – ответил Петя.

– Потяни, деточка, за верёвочку, дверь и откроется, – разрешил Волк.

Петя дёрнул за верёвочку и несмело вошёл в дом.

– Ой, это ты, что ли, моя внучка? – изумился Волк, разглядывая Петю.

– Я! – подтвердил Петя.

– А шапочку куда дела? – подозрительно спросил Волк.

– Теперь шапочки не в моде, нынче все девочки косынки носят, – успокоил Петя Волка.

– Ладно, носи косынку, – разрешил Волк. – Да, а ты чего там стоишь-то? Ты поближе подойди, я же глухая совсем, слышу плохо.

Петя опасливо приблизился к кровати.

– Ну, – нетерпеливо облизнулся Волк.

– Что? – спросил Петя, с надеждой поглядывая на открытую дверь – вдруг охотники уже на крыльцо поднимаются. Но на крыльце по-прежнему было пусто.

– «Что-что»! – передразнил Волк. – А скажи мне, деточка, почему у меня такие большие ушки?

– Ушки? Это, наверное, чтобы лучше слышать, как идут охотники, – ответил Петя.

– А почему у меня такие большие глазки? А?

– Чтобы лучше видеть охотников...

– Охотников? Опять ты об охотниках! – злорадно

усмехнулся Волк. Он уже давно догадался, что перед ним не Красная Шапочка. Он снял бабушкины очки и закричал:

– А теперь скажи, несчастный мальчишка, почему у меня такие большие зубки? Чтобы тебя съесть! Я же предупреждал, что съем тебя без соли и перца.

Волк откинул одеяло, оскалил свои ужасные клыки и с рычанием бросился на Петю. Петя схватил ведро, которое стояло возле порога, и нахлобучил его на голову Волку. Волк завыл и заскрежетал зубами. Петя кинулся к двери, Волк метнулся за ним.

И тут, к счастью, бабушка, сидевшая в шкафу и дрожавшая от страха, пришла в себя, приоткрыла дверцу и подставила Волку подножку.

Волк растянулся на полу, ведро с его головы соскочило, и Волк увидал прямо перед своим носом... дуло ружья!

Это охотники вовремя подоспели.

– Руки, то есть лапы вверх! – скомандовали отважные охотники.

Волк безропотно встал и поднял лапы вверх.

Тут в дом вбежала Красная Шапочка, она посмотрела на пустую кровать бабушки и расплакалась:

– Где же моя бабушка? Неужели Волк её слопал?

– Фи, что за выражение – «слопал»? – копируя бабушку, произнёс Петя. – Воспитанные девочки говорят: скушал или отобедал.

– А вот мы сейчас ему брюхо вспорем и посмотрим, чем он успел отобедать! – пообещал один из охотников, вынимая острый охотничий нож.

– Да ладно уж, не надо, – пожалел Петя Волка и широко распахнул дверцы шкафа.

В шкафу стояла улыбающаяся и совершенно живая бабушка. Красная Шапочка бросилась в объятия бабушки. А потом все они: и бабушка, и Красная Шапочка, и охотники – начали хором благодарить Петю.

– Да ну! – засмущался Петя, но что ни говори, ему было приятно всё это слушать.

Вдруг свет в домике бабушки погас. И всё куда-то исчезло. Остался лишь тёмный экран с непонятными светящимися словами «амьлиф ценоК». Петя, конечно, догадался, что они означают «Конец фильма». Ведь он находился за обратной стороной экрана. Он оглянулся и увидел, как в заборе отодвигается доска, словно приглашая его наружу. Петя не заставил себя ждать. Когда доска за ним закрылась без шума и скрипа, он вприпрыжку побежал домой. Настроение у него стало просто замечательное. Ещё бы! Ведь не каждый день удаётся побывать в любимой сказке. Тем более что сказки Петя любил больше всего на свете. И слушать, и сочинять!

МЫ ИЩЕМ КЛЯКСУ

Всё началось с неприятности. Ваня и Маша пришли к соседу Художнику посмотреть его рисунки. Вдруг Маша нечаянно опрокинула баночку с тушью прямо на альбом. Получилась большая безобразная клякса. Ребята заплакали, а Художник сказал:

– Ничего, сейчас достану кляксовыводитель, и мы её...

Художник ушёл в другую комнату, а Клякса, представьте себе, ожила, захихикала и спряталась где-то среди страниц альбома.

Когда Художник принёс кляксовыводитель, кляксы уже не было.

– Она убежала туда... в альбом... – сказали Ваня и Маша.

– Клякса погубит все мои рисунки! – воскликнул Художник. – Её во что бы то ни стало нужно поймать!

– Мы готовы её ловить, но как? – спросили ребята.

– А вот как! Сидите смирно!

Художник быстро-быстро нарисовал в альбом портреты Вани и Маши, потом взмахнул карандашом и произнёс заклинание:

Мульти-пульти,
Раз, два, три.
И в альбоме
Вы – внутри!

И когда он перевернул страницу альбома...

...Ваня и Маша очутились в сказочном лесу около избушки на курьих ножках. В избушку вели чёрные грязные следы, а из окошка с грохотом летела всякая утварь...

– Клякса здесь... – прошептал Ваня, – мы её подкараулим и...

Вдруг с воем, словно реактивный самолёт, прилетела в ступе Баба-Яга.

– Кто это тут хозяйничает?! Кто здесь безобразничает?! – закричала она, размахивая помелом.

Ребята спрятались в бочку, но Баба-Яга сразу их обнаружила и приказала Филину:

– Ты, Филька, пуще глаза своего сторожи их, а я большой котёл воды вскипячу, и мы их...

– Спасите! – закричал Ваня.

Перевернув страницу альбома, Художник спас ребят от страшной Бабы-Яги, но бочка, к сожалению, оказалась в открытом море...

– Бочка дырявая... мы тонем! – запищали ребята.

– Не бойтесь, – сказал Художник и, несмотря на большие волны, несколькими штрихами нарисовал лодку.

– Теперь перебирайтесь сюда! – скомандовал он.

Ваня и Маша почувствовали себя в безопасности, но ненадолго: огромная чёрная Акула вынырнула из воды и погналась за лодкой.

Художник пририсовал к лодке парус, но Акула не отставала... Пришлось перевернуть страницу... и ребята оказались посреди жаркой пустыни. По песку тянулись чёрные следы...

– Здесь была Клякса, – сказал Ваня.

Ребята пошли по следам и не заметили, как перед ними появился огромный Лев.

Лев раскрыл пасть и громко зарычал...

– Спокойно. Я здесь! – раздался голос Художника.

Рука его взмахнула карандашом, и Лев оказался в прочной клетке...

А ребята... – на следующей странице альбома.

– Где мы? – спросили они.

– Вы находитесь на неизвестной науке планете, которую я придумал, – сказал Художник и пририсовал

детям скафандры с антеннами, чтобы они могли двигаться в неземной атмосфере.

Ваня и Маша с любопытством рассматривали незнакомый мир и вдруг заметили в небе странный летательный аппарат, который быстро к ним приближался.

«Летающая тарелка» опустилась неподалёку, и из её люков со свистом выскочили существа, похожие на осьминогов, – обитатели этой планеты.

– Уинпетриско сито бандо цютко, – бормотали они на своём языке, очевидно приветствуя Ваню и Машу.

– Марженгола! Стрикококо! – кричали жители планеты, танцуя вокруг детей.

– Смотри-ка, – тихо сказал Ваня Маше, – ведь один из них совсем чёрный!

– Клякса! – пискнула Маша.

Но было поздно – Клякса юркнула на следующую страницу.

– Да это же наш двор! Мы дома? – удивился Ваня.

– Ты угадал, – сказал Художник. – Я нарисовал наш двор и даже нашего дворника дядю Федю.

– Здесь была Клякса, – сказала Маша, – тут везде её следы.

– Я-то знаю, откуда эти пятна! – вдруг грозно закричал дядя Федя. – И знаю, кто тут безобразничает!

– Это не мы, дядя Федя! Это Клякса!

Художник хотел спасти ребят от дяди Феди, но на этой странице они угодили прямо на спину ужасного Змея Горыныча. Дядя Федя тоже почему-то попал сюда.

– Я вам всем покажу! Всех к порядку приучу! – кричал дядя Федя, размахивая метлой.

Змей Горыныч с ребятами на спине бросился наутёк... но дядя Федя догнал его. И досталось же Змею Горынычу!

А пока дядя Федя с ним расправлялся, Ване и Маше удалось улизнуть на другую страницу альбома.

Там пришлось взбираться на крутые горы и отвесные скалы, и если бы не Художник, который нарисовал мостик через бездонную пропасть, ребята не попали бы на следующую страницу.

Ура!!!

Кляксу нашли и поймали только на самой последней странице.

– Молодцы! – сказал Художник, взмахнул волшебным карандашом и произнёс заклинание:

Мульти-пульти,
Пятью пять –
И вы в комнате опять!

– Вы волшебник? Фокусник? – спросили ребята.

– Нет, я просто художник-мультипликатор!

ВОЛШЕБНЫЙ МАГАЗИН

Миша был лучшим учеником в классе. И по математике, и по русскому, и даже по пению. А самым плохим учеником в классе был Витя Петров. И всё из-за лени! Контрольные Витя списывал у соседа по парте, задачки за него полкласса решало, а уж если Витю к доске вызывали, то тут весь класс подсказывать начинал. Подсказывать, конечно, некрасиво. Но получать пары на каждом уроке и каждый день – это ещё хуже! Одноклассники Витю жалели, потому и помогали. А так, между прочим, часто бывает, что отпетому двоечнику помогают изо всех сил: подсказывают, списывать дают.

Только с такой помощью двоечник никогда отличником не станет, а ещё больше обленится. И даже самые простые домашние задания или поручения выполнять перестанет.

Вот с Витей Петровым всё именно так и вышло. Поручили ему однажды нарисовать классную стенгазету. Задание проще простого! Но Витя даже пытаться не стал что-нибудь сам придумать, а подхватил лист ватмана, краски и побежал к Мише.

Миша, как обычно, сидел за своим письменным столом и учил уроки. На завтра им задали выучить наизусть стихотворение Пушкина про няню.

Буря мглою небо кроет... небо кроет,
Вихри снежные крутя...
Вихри снежные крутя... –

громко читал Миша.

Тут в комнату ввалился Витя со свёртком в руках и сказал бодрым голосом:

– Мишка, у меня к тебе дело! Вот! – и разложил на Мишином столе лист ватмана.

То, как зверь, она завоет,
То заплачет, как дитя, –

продолжал учить Миша.

– Мишка, ты что, не слышишь, что ли? У меня к тебе дело! – повторил Витя.

– Это что? – спросил Миша, глядя на лист ватмана.

– Это стенгазета, – сказал Витя и смущённо поправился: – То есть... будет, конечно, стенгазета, если ты мне её нарисуешь.

– Я уроки учу, – сказал Миша. – Вихри снежные крутя! А стенгазету сам рисуй.

– Ну, Мишенька! Ну, пожа-алуйста! – заныл Витя.

– Не могу, – помотал головой Миша. – Времени нет. Мне ещё стихотворение выучить нужно и задачку решить. И в «Живом уголке» я сегодня дежурю: надо рыб накормить, за хомячками убрать...

– Да ты что? – возмутился Витя. – Какие рыбы! Какие хомячки? Я же обещал, что нарисую! А твой «Живой уголок» один день без дежурного проживёт.

– Не проживёт! Вчера вот никто не дежурил и три лягушки неизвестно куда убежали. А газету сам рисуй, раз ты обещал, – не сдавался Миша.

– Ещё друг называется! – обиделся Витя.

То, как зверь, она завоет,
То заплачет, как дитя, –

вновь принялся учить стихотворение Миша.

– Миш, а Миш! Ну выручи в последний раз! – попросил Витя.

– Мне нужно сделать уроки! – сказал Миша.

– Хорошо, делай, – согласился Витя. – А я здесь посижу, подожду, – и Витя уселся на диван. – Вот, книжку почитаю, – взял Витя с полки какую-то книжку.

Книжка называлась «Волшебные сказки». На первой странице был нарисован волшебник с длинной белой бородой. В руках у него была волшебная палочка. «Вот был бы я волшебником, – думал Витя, разглядывая картинку, – я бы всем показал! Раз-два! И газета готова! Раз-два, и задачка решена... А то вечно бегаешь, просишь всех... Или была бы у меня волшебная палочка! Я бы взмахнул ею...» – тут Витя и впрямь взмахнул рукой, словно в ней была волшебная палочка.

И комната вдруг поплыла! Закачалась! И вокруг Вити полетели диваны, столы, шкафы. У Вити даже голова закружилась! Он закрыл глаза, а когда вновь открыл их, то почему-то оказался на улице перед огромным магазином.

В витрине магазина под весёлую музыку кувыркались игрушечные клоуны, а игрушечные жонглёры перебрасывались разноцветными кольцами. «Волшебный детский универмаг», – прочёл Витя вывеску на магазине и тут же услышал:

– Добро пожаловать!

Дверь магазина приветливо распахнулась... Витя вошёл внутрь и очутился в настоящей Стране чудес.

Всё в магазине было необычно. Посреди зала стояла избушка на курьих ножках, на избушке было написано: «Касса». Вдоль стен магазина росли огромные деревья, на которых, как груши или яблоки, висели мячи, ракетки, кегли, обручи... Ещё в магазине был фонтан. В бассейне фонтана плавали игрушечные кораблики, пластмассовые рыбки и утята. Даже привычные вещи: утюги, чайники, часы – казались здесь волшебными. А на прилавке магазина сидели как живые куклы, матрёшки и мягкие игрушки.

Витя медленно обошёл зал. Ни покупателей, ни продавцов в магазине не было.

– Нет никого! – вслух удивился Витя.

И тут же услышал рядом с собой тихое покашливание. Витя повернулся – никого! Что за чудеса!

– Кто тут? – робко спросил Витя.

– Это я, – ответил чей-то голос.

И перед Витей неизвестно откуда появился бородатый старик в больших очках и смешном клетчатом костюме. В руках у старика был остроконечный колпак.

– Шапка-невидимка, – сказал старик, надел колпак на голову и тут же растворился в воздухе. Но через мгновение появился вновь. – Меня зовут Маг-Завмаг. Заведующий волшебным магазином, – представился старик.

– Вы фокусник? – восхищённо спросил Витя, разглядывая колпак старика.

– Нет, – улыбнулся старик и...

И превратился в Деда Мороза!

– А! Я знаю, вы Дед Мороз! У меня такой, как вы, ватный есть. Мы его под ёлку ставим, – сказал Витя.

– Разве я Дед Мороз? – спросил старик и тут же превратился в клоуна.

Клоун достал прямо из воздуха разноцветные шарики и начал ими жонглировать.

– Прямо как в цирке! – засмеялся Витя.

Клоун тоже хихикнул, хлопнул в ладоши, и шарики исчезли. А перед Витей вновь стоял Маг-Завмаг в своём клетчатом костюме.

– Ну а как тебя зовут? – спросил Маг-Завмаг.

– Ученик Витя... Виктор Петров.

– Так... И как успехи ученика Виктора Петрова?

– Да неважно, – честно признался Витя. – Особенно по математике. И по русскому. Ну и по рисованию тоже. А Мишка помочь отказался, – зачем-то пожаловался Витя.

– Да, подвёл тебя Мишка, – посочувствовал Маг-Завмаг. – А ты расстроился, да? Настроение испортилось, да?

– Да-да, – закивал Витя.

– Ну ничего! Сейчас мы всё исправим и настроение тебе поднимем! – пообещал Маг-Завмаг. – Ты в нашем магазине первый покупатель, так что выбирай себе любой подарок. Здесь у нас всё для детей и всё волшебное!

Витя задумался. Кругом было столько заманчивых вещей, что и не выберешь вот так, сразу.

Маг-Завмаг понял, что Витя растерялся, и решил ему помочь.

– Смотри, – сказал он, вытаскивая откуда-то из рукава большой носовой платок. – Это детская скатерть-самобранка. Специально для школьных завтраков.

Маг-Завмаг взмахнул платком, и на платке появились стакан сока, бутерброд и красивое пирожное.

Разинув рот, Витя смотрел на это чудо и вдруг его осенило.

– Простите, – робко сказал он, – а у вас есть... стенгазеты?

– Стенгазеты? – удивился Маг-Завмаг. – А что это такое?

– Ну... Это такой лист бумаги, на котором нарисованы картинки про наш класс и написаны какие-нибудь весёлые заметки, – пояснил Витя.

Маг-Завмаг развёл руками и покачал головой.

– Жаль, – сказал Витя. – Я думал, у вас всё на свете есть... Мне, понимаете, такую газету нарисовать поручили...

– А почему тебе? – поинтересовался Маг-Завмаг.

– Я хочу доказать, что рисую лучше всех. А на самом деле... На самом деле... – И Витя замолчал.

– Мне кажется, я смогу тебе помочь, – успокоил Витю Маг-Завмаг. – Возьми волшебные краски! Они рисуют всё, что ты пожелаешь.

Маг-Завмаг щёлкнул пальцами и тут же в воздухе появилась большая красивая коробка с красками. Она опустилась на прилавок прямо перед Витей и раскрылась с музыкальным звоном.

– Сейчас проверим, как они умеют рисовать, – весело сказал Маг-Завмаг, доставая из рукава своего смешного пиджака лист бумаги, и хлопнул в ладоши:

Эй вы, чудо-краски!
Выходи из сказки!

Тотчас кружочки красок ожили и превратились в семь маленьких смешных человечков.

Витя замер от удивления.

Человечки вылезли из коробки, взяли кисточки «на плечо» и, как солдатики, выстроились на листе бумаги.

Ну-ка, краски-мастера,
За работу вам пора! –

вновь хлопнул в ладоши Маг-Завмаг.

Тут началось настоящее чудо! Краски-человечки начали быстро рисовать на бумаге. При этом краски напевали и пританцовывали.

И уже через мгновенье плыл по синим морским волнам

белый теплоход, над ним светило яркое солнце, а рядом с теплоходом резвились дельфины.

– Здо́рово! – восхитился Витя. – Всё как настоящее! Так даже сам Иван Петрович не нарисует!

– А кто этот Иван Петрович? – поинтересовался Маг-Завмаг. – Художник?

– Не-ет! – помотал головой Витя. – Это наш учитель по рисованию. Он мне вчера опять двойку влепил. Ну теперь посмотрим, кто из нас лучше рисует! – хвастливо заявил Витя.

– Ты, конечно, – улыбнулся в бороду Маг-Завмаг. Он хлопнул в ладоши и сказал:

Эй вы, чудо-краски,
Уходите в сказку!

Краски послушно побежали к коробке, прыгнули в неё и превратились в обыкновенные разноцветные кружочки акварели.

Маг-Завмаг ловко завернул коробку с красками в бумагу, перевязал всё красивой ленточкой и вручил свёрток Вите.

– Принимай, дружок, от меня подарок. Если не пригодится или не понравится – приноси обратно, я тебе его на что-нибудь другое обменяю. Да! Вот ещё: найти меня несложно, нужно только выйти на улицу и повернуться вокруг себя три раза. Ну, желаю успеха!

Счастливый Витя, крепко прижимая к груди свёрток с красками, отправился на выход. Но не успел он дойти до дверей, как магазин начал медленно таять и исчез вместе с игрушками, прилавком, кассой и самим Магом-Завмагом.

А Витя очутился у себя дома. Он развернул волшебный подарок Мага-Завмага, достал коробку с красками и поставил её рядом с листом ватмана. Который, кстати, тоже каким-то чудом оказался у Вити дома, хотя Витя точно помнил, что оставил ватман у Мишки.

– Вот теперь посмотрим, как я не умею рисовать, – разговаривал Витя сам с собой. – Подумаешь, вихри снежные крутя! Я теперь без вас обойдусь! Ещё вы меня просить будете! Ну! – хлопнул Витя в ладоши. – Давайте, краски! Рисуйте мне стенгазету!

Но краски почему-то не оживали.

– Волшебные слова! – вспомнил Витя. Он повертел коробку с красками и нашёл на боку коробки волшебное стихотворение:

Эй вы, чудо-краски,
Выходи из сказки!
Ну-ка, краски-мастера,
За работу вам пора!

Краски послушно выскочили из коробки и разбежались по листу ватмана.

– Нарисуйте мне стенгазету! – приказал Витя.

И тут же красная краска быстро написала крупными буквами «СТЕНГАЗЕТА».

– Порядок! – довольно потёр руки Витя и отправился на диван читать книжку.

Но не успел Витя прочесть и страницу, как из школы прибежала Витина младшая сестрёнка, она училась во вторую смену. Витя едва успел на ходу сочинить какую-то враку о тайной стенгазете, которую он рисует и которую никто не должен видеть, и выдворил сестрёнку из комнаты.

Но тут уже и мама пришла с работы. А маму не обманешь. Пришлось бегом бежать в комнату и прятать краски.

Краски, краски!
Уходите в сказку! –

хлопнул в ладоши Витя и, не дожидаясь пока краски запрыгнут в коробку, сам смахнул их со стенгазеты, свернул ватман в трубочку и спрятал под стол.

– Завтра посмотрю, что они там нарисовали, – решил Витя.

Вот так и получилось, что первыми стенгазету прочли Витины одноклассники. Ох, как они хохотали над заметками! Как хвалили Витю за замечательные рисунки!

– Ты настоящий художник! – сказал Мишка. – Я бы так в жизни не нарисовал!

– Молодец!

– Сразу видно, талант!

– А скромничал! По рисованию двойки хватал, – говорили Витины одноклассники наперебой.

– Так я же не сам рисовал, – оправдывался Витя, – всё кого-нибудь просил... Потому и двойки получал.

– Да, ты тут про свои двойки всё написал, – сказал Миша. – Я бы так про себя не смог.

– Как про себя? – удивился Витя. – Про какие мои двойки?

– Да вот, – ткнул Мишка в газету, – ты же все заметки про себя написал и про свою лень. И как списываешь, и как уроки пропускаешь...

– Где? – кинулся Витя к газете, расталкивая одноклассников.

Стенгазета и в самом деле была посвящена первому лентяю в классе – Вите Петрову.

– Не может быть... Это не я... Я не знал... То есть я не читал... – лепетал Витя, стоя перед хохочущими одноклассниками. – Это краски сами! – крикнул он в отчаянии и бросился прочь из класса.

На улице Витя три раза повернулся вокруг себя и очутился возле прилавка волшебного магазина.

– Ну что, понравились тебе краски? – приветливо спросил Витю Маг-Завмаг.

– Они мне... Они мне не пригодились, – соврал Витя и вытащил из портфеля коробку с красками.

– Да? – спросил Маг-Завмаг. – Ну что ж, тогда выбери себе что-нибудь другое. Ты ведь за этим пожаловал? Так?

– Так, – кивнул Витя.

– Что бы тебе посоветовать? – задумался Маг-Завмаг. – Может, волшебные шахматы возьмёшь? Беспроигрышные! Будешь выигрывать у всех, даже у чемпиона мира.

– Мне бы что-нибудь музыкальное, – попросил Витя. – У нас завтра концерт художественной самодеятельности в школе, – пояснил он.

– Можно и музыкальное, – сказал Маг-Завмаг и жестом фокусника вынул из Витиного кармана балалайку. И как только она там уместилась?

Маг-Завмаг поставил балалайку на прилавок и хлопнул в ладоши:

Ну-ка, чудо-балалайка,
Плясовую заиграй-ка!

Балалайка завертелась волчком и заиграла весёлую плясовую.

И тут же плюшевые игрушки в магазине затопали ножками, завертели хвостиками.

Балалайка заиграла быстрее, и игрушки пустились в пляс. Куклы танцевали с медведями и зайцами, машинки с мячами и ракетками. Избушка на курьих ножках пошла по залу вприсядку. А за ней и сам Маг-Завмаг, приговаривая:

– Ох! Ох! Ох! Ох!

Какая-то неудержимая сила потащила в круг танцующих и Витю. Он даже предположить не мог, что умеет так отбивать чечётку и выделывать такие коленца.

А балалайка всё играла и играла. И весь магазин заходил ходуном.

– Сто-о-ой! – закричал Маг-Завмаг, и балалайка замолчала. – Держи! – протянул Маг-Завмаг Вите волшебную балалайку. – Только запомни как следует, что сказать надо, на самой-то балалайке ничего не написано.

– Запомню! – пообещал Витя, прижимая к груди волшебную балалайку, и добавил: – Вот это будет номер! Все от зависти полопаются!

Вечером следующего дня в школе начался концерт художественной самодеятельности. К концерту готовились заранее, чуть ли не месяц репетировали стихи, песни и танцы. Витя в концертах никогда не участвовал, потому что ничего не умел: ни петь, ни танцевать. Да его и не приглашали, кто же станет с лентяем связываться, он ведь в любой момент подвести может.

Потому-то Миша, который вёл концерт, очень удивился, когда к нему подошёл Витя и попросил:

– Объяви, что следующий номер мой. Я тоже выступить хочу.

– Ты? – изумился Миша. – А что у тебя за номер?

– Вот! – гордо показал Витя свою волшебную балалайку.

– А кто на ней играть будет? – спросил Миша.

– Я, конечно! Кто же ещё! Да ты не переживай, – успокоил Витя своего одноклассника, – вот увидишь, лучше меня никто не играет!

Миша пожал плечами, но согласился. Он вышел на сцену и объявил:

– Сейчас выступит музыкант-виртуоз Виктор Петров!

В зале вместо аплодисментов повисла тишина.

– Витька – музыкант? – перешёптывались Витины одноклассники. – Не может быть!

Занавес поднялся, и на сцену вышел Витя с балалайкой в руках. Кто-то неуверенно захлопал в ладоши. Кто-то свистнул.

Витя сел на стул, взял балалайку и сказал тихо:

– Ну, балалайка, начинай.

Но балалайка молчала.

– Давай, Витька! – крикнули из зала.

– Сейчас, – ответил он и зашептал: – Ну, ты, балалайка... Балалаечка, играй, пожалуйста!

Балалайка молчала.

Витя повертел балалайку, волшебных слов на ней не было.

– Кончай настраивать! – крикнули из зала. – Играй! Или уходи!

– Эх, ты, балалайка! – рассердился Витя. – Дура ты, а не музыкальный инструмент.

Витя робко тронул струны. Балалайка ответила отвратительным скрипом.

– Вы прослушали музыкальный номер Виктора Петрова! – громко объявил вышедший на сцену Мишка, и зал разразился хохотом.

Витя бочком выбрался со сцены под свист и улюлюканье школьников и бегом бросился на улицу. Надо же, он так и не вспомнил волшебные слова:

Ну-ка, чудо-балалайка,
Плясовую заиграй-ка!..

На улице он повернулся вокруг себя три раза и тут же оказался возле прилавка в волшебном магазине рядом с Магом-Завмагом. Витя положил балалайку на прилавок и потупился.

– Не подошла? – спросил Маг-Завмаг.

– Концерт... концерт не состоялся, – соврал Витя. – А без концерта она мне ни к чему.

– Я понимаю, – согласно кивнул Маг-Завмаг. – Заменить нужно!

– Очень-очень нужно! – вырвалось у Вити.

– Хочешь, чтобы одноклассники тебя уважали, да? Чтобы восхищались тобой? – спросил Маг-Завмаг, словно прочёл Витины мысли.

Витя покраснел и молча кивнул.

– Что же тебе дать? – задумался Маг-Завмаг. – Может, универсальную шпаргалку... Или ручку, которая пишет без ошибок...

– Мы завтра с соседней школой в футбол играем, может... – начал Витя.

– Прекрасно! – перебил его Маг-Завмаг и хлопнул в ладоши.

И тут же по прилавку запрыгал новенький футбольный мяч.

– Волшебный, – кивнул на мяч Маг-Завмаг. – Что ни удар, то гол! Годится?

– Мне, наоборот, надо, чтобы ни одного гола. Я на воротах стою, – пояснил Витя.

– Ах, вот как! Ну тогда запомни волшебные слова:

Чудо, чудо, чудо-мяч!
Лети прямо, лети вскачь,
Без труда и без науки
Попади мне прямо в руки!

Мяч с прилавка прыгнул прямо в руки Мага-Завмага.

– Ни одного гола не пропустишь! Только слова не забудь.

– Я сейчас запишу! – обрадовался Витя. Он достал из портфеля тетрадь, вырвал из неё листок и написал на нём волшебные слова.

Маг-Завмаг отдал Вите мяч и... растаял в воздухе вместе с магазином.

А Витя остался на улице с волшебным мячом в руках.

– Вот теперь посмотрим, кто над кем смеяться будет! Завтра узнаете, кто лучший вратарь в школе! – довольно сказал Витя и побежал домой.

Но на сам матч Витя чуть не опоздал. Проспал, как всегда. И появился на стадионе в тот самый момент, когда судья объявлял о начале игры.

– Витька! Ты же всю школу подводишь! – сердито закричал на одноклассника капитан команды Миша.

– Всё в порядке! – бодро крикнул Витя. – Вот я! Вот мяч!

Судья дал свисток, и игра началась.

Мячом сразу же завладели противники и стремительно пошли в атаку.

Витя увидел, что нападающий соседней школы приближается к нему, и достал из вратарской перчатки листок с волшебными словами.

Но он успел прочесть только две первые строчки:

Чудо, чудо, чудо-мяч!
Лети прямо, лети вскачь... –

как мяч влетел в его ворота!

– Гол! Гол! – закричали болельщики на трибунах.

– Витька, ты что, обалдел? – подлетел к вратарю Миша. – Ты что тут в воротах письма читаешь?

– Я... Я нет... – залепетал Витя, убирая листок в перчатку.

На щите появился счёт 1:0.

Начали игру с центра поля. Теперь в наступление пошла Витина школа. Но возле самых ворот противника мяч был неожиданно потерян и вновь атакующие понеслись на Витю.

Чудо, чудо, чудо-мяч!
Лети прямо, лети вскачь,
Без труда и без науки... –

шептал Витя, стоя посреди ворот столбом.

Мяч влетел в сетку!

– Гол! Ура! – заорали трибуны.

На щите появилось: 2:0.

– Такой мяч не взял! – подлетели к Вите одноклассники.

«Надо заранее начать говорить», – решил про себя Витя и неспешно начал:

Чудо, чудо, чудо-мяч!
Лети прямо, лети вскачь!

А мяч в это время летел к воротам противника. Мишка сильным ударом послал его точно в угол.

Без труда и без науки
Попади мне прямо в руки! –

закончил Витя.

И мяч, который уже залетел в ворота противника, вдруг резко развернулся в воздухе и полетел обратно. Прямо в Витины руки!

Трибуны ошеломлённо молчали.

Витя почесал затылок, смущённо повертел мяч в руках и вбросил его в игру.

«Рановато сказал, подождать надо было, когда на меня побегут», – отчитал Витя сам себя.

Ждать ему пришлось недолго. Но договорить волшебные слова Витя опять не успел.

На щите появилась новая запись 3:0. А через пару минут вместо тройки возникла четвёрка, пятёрка, шестёрка...

И тут Витины одноклассники нарушили правила, видимо, Витина игра всех выбила из колеи.

– Назначаю пенальти! – объявил судья и напомнил: – До конца игры осталось пять минут! Счёт 13:0 в пользу тридцать пятой школы.

Витя замер в воротах.

Перед Витиными воротами замер мальчишка из тридцать пятой школы, приготовившись пробить пенальти.

– Всё равно сказать не успею, – безнадежно шепнул Витя и приготовился.

Свисток!

Удар!

Витя упал и... взял мяч!

– Это я! Это я сам! – радостно закричал Витя.

Судья дал финальный свисток и объявил:

– Игра закончена. Счёт 13:0 в пользу тридцать пятой школы.

– Видел, какой я мяч сам взял! – подбежал Витя к капитану команды Мишке.

Но Мишка молча прошёл мимо Вити к раздевалке. И также, не сказав ни слова, мимо Вити прошли его одноклассники. Лучше бы они кричали, ругались или даже бы драться полезли. Вите было бы легче. Но вот так, молча пройти мимо – это обидней всего.

Витя стоял перед прилавком волшебного магазина с мячом в руках. А Мага-Завмага почему-то не было.

– Всё ходит и ходит. И всё ему не нравится, – шептала розовощёкая матрёшка нарядной кукле.

Матрёшка и кукла сидели на прилавке.

– А наш-то ему всё меняет! – сердито продолжала матрёшка. – То то ему дай, то это... И конца-краю не видно! Бессовестный, одно слово.

Кукла слушала матрёшку, хлопая длинными ресницами.

Витя смущённо отошёл в сторону.

– Заменить? – вдруг услышал он голос Мага-Завмага.

Витя обернулся.

Маг-Завмаг стоял за его спиной и хитро улыбался.

– Не надо, – покачал Витя головой. – Возьмите обратно. Мне ничего волшебного не надо, – прошептал он еле слышно.

– У тебя же диктант завтра! – сказал Маг-Завмаг.

И откуда только он всё узнал?

– Возьми ручку, которая без ошибок пишет.

– Ручку? – переспросил Витя, и в голосе его появилась какая-то неуверенность. Но Витя тут же поборол себя и решительно сказал: – Ну уж нет! Ручка у меня своя есть. Простая, не волшебная.

– А как же ошибки? – спросил Маг-Завмаг.

– Ошибки я сам... сам попробую исправить!

Лицо Мага-Завмага расплылось в доброй улыбке.

– Ну если сам берёшься за дело, то всё будет в порядке.

– Чудеса! – прошептала матрёшка.

И кукла согласно похлопала ресницами.

– Прощай, дружок! – сказал Маг-Завмаг. – Желаю успеха!

Маг-Завмаг надел свою шапку-невидимку и исчез.

И магазин тоже растворился в воздухе вместе с волшебными игрушками, кассой на курьих ножках и мячами.

А Витя...

...проснулся!

Он по-прежнему сидел на диване в Мишиной комнате. И на коленях у него лежала раскрытая книга «Волшебные сказки».

Перед Витей стоял Мишка.

– Пока ты спал, – сказал Мишка, – я все уроки выучил и в «Живой уголок» сбегал, лягушек нашёл, рыбок покормил...

Витя потряс головой, окончательно просыпаясь.

– Давай твою стенгазету рисовать! Краски вон там, на полочке, – предложил Миша.

– Волшебные? – спросил Витя.

– Ты что, не проснулся ещё? – улыбнулся Миша. – Какие волшебные? Самые обычные.

– Обычные? – обрадовался Витя. – Слушай, Мишка, дай мне эти краски, пожалуйста! Я сам нарисую. То есть попробую сам...

– А я... – начал было Миша.

– А ты сказки почитай! – предложил Витя и протянул Мише книжку. – Классные сказки! Волшебные!

Витя взял с полочки коробку с красками, прихватил свой лист ватмана и побежал домой.

Стенгазету Витя нарисовал сам. Правда, получилась она не такая красивая, как во сне. И грамматических ошибок в ней хватало. Но зато рисунки были хорошие и смешные. А вот в концерте художественной самодеятельности Витя участвовать не стал. Чего же на сцену лезть, если ни петь, ни танцевать не умеешь! И отличником Витя тоже не стал. Хотя двоек в его дневнике значительно поубавилось. А среди троек стали изредка появляться крепкие четвёрки!

Но самое главное: в футбольном матче с командой соседней школы Витя пропустил в свои ворота один-единственный гол! Да и тот был забит с пенальти. Все остальные мячи Витя легко взял безо всяких там волшебных стихотворений! В результате Витина школа победила соседей со счётом 5:1. А сам Витя был признан лучшим вратарём. Вот так-то!

ПЕТЯ ИВАНОВ И ВОЛШЕБНИК ТИК-ТАК

Когда Петя Иванов пошёл во второй класс, родители подарили ему часы.

О часах Петя мечтал давно.

Петя представлял разные часы на своей руке: в круглом или квадратном корпусе, с крышечкой, закрывающей табло циферблата, или без... Но чтобы такие! Нет, такие часы, которые ему подарили родители, Петя мог представить только во сне. Да и то в кошмарном.

Старинные, карманные, в виде луковицы и на длинной цепочке!

Увидев подарок, Петя чуть не расплакался. И все дальнейшие рассказы папы о том, что эти часы не простые, что папе они достались от дедушки, а дедушке от прадедушки, Петя пропустил мимо ушей. А на замечание мамы: «Не забудь поставить будильник в новых часах на восемь, чтобы не проспать в школу», Петя тихо буркнул в ответ: «Как же, не забуду! Да я к ним вообще не прикоснусь!»

Тем не менее Петя отнёс часы в свою комнату и положил их на тумбочку возле кровати. Петя втайне надеялся, что кошка Мурка заинтересуется свисающей с тумбочки цепочкой, стянет часы и разобьёт их! И тогда он с чистой совестью проспит первый урок. Всё равно домашнюю задачку по математике он не решил, а идти в школу за верной двойкой – радости мало. И так в дневнике сплошные «пары».

Петя улёгся в кровать, накрылся одеялом и стал тихонько звать Мурку, ненавистно поглядывая на тикающие часы.

– Кис-кис-кис...

Но вместо Мурки к дверям его комнаты подошли родители.

Петя тут же закрыл глаза, притворившись спящим.

– Напрасно ты Пете эти часы подарил, – шёпотом сказала мама. – Его же ребята в школе засмеют!

– Не засмеют! – также шёпотом ответил папа. – Вот посмотришь, ещё и завидовать будут.

– Не успеют позавидовать, – вздохнула мама. – Он их завтра же разобьёт, а нам скажет, что их Мурка с тумбочки стащила.

Петя услышал мамины слова и в который раз удивился: как это маме удаётся читать его мысли! А ещё он испугался, что мама может догадаться про нерешённую задачу, и на всякий случай накрылся одеялом с головой. Чтобы мысли были не так видны.

– Эти часы разбить невозможно, я в детстве пробовал – не получилось, – шёпотом признался папа.

– Значит, потеряет, – не сдавалась мама.

– Не потеряет! – уверил её папа. – Наоборот, станет гораздо аккуратнее. А то разболтался совсем...

Тут папа и мама на цыпочках отошли от Петиной комнаты.

Петя вылез из-под одеяла и прошептал:

– Как же, стану! Ждите! Да я теперь ещё больше разболтаюсь! Будете знать, как доисторические часы дарить!

И Петя погрозил часам кулаком.

В часах вдруг что-то захрипело, и они замолчали.

Петя даже сел на кровати от удивления. Неужели сами сломались? Он протянул руку к часам, но в эту самую секунду звякнула какая-то пружинка, крышка часов открылась, и на циферблат вылез маленький смешной человечек.

– Не волнуйся! – пискнул человечек. – Сейчас починим!

– Вы кто? – прошептал потрясённый Петя. – Гном?

– Я Тик-Так, добрый дух времени, – сказал человечек.

Тик-Так достал из кармана гаечный ключ, подковырнул заднюю крышку часов, снял её и откатил в сторону.

Петя с любопытством наблюдал, как маленький человечек ловко перепрыгивает с маятника на пружину, как подкручивает винтики, подтягивает зубчатые колёсики.

– Порядок! – сказал Тик-Так и качнул ногой маятник в часах.

Часы послушно запели: «Тик-так, тик-так...»

– Будешь меня слушаться – станешь хозяином времени, – сказал Тик-Так, закрывая крышку часов.

– Хозяином времени? – недоверчиво переспросил Петя, кутаясь в одеяло. – Так ведь у меня времени нет совсем! Уроки делать некогда, в школу опаздываю, домой к обеду опаздываю... Даже в футбол поиграть, и то не успеваю!

– Со мной времени у тебя будет хоть отбавляй! – сказал Тик-Так. – Всё успеешь! И на мультики ещё останется.

– Как это? – не поверил Петя.

– А вот так! Смотри, – и Тик-Так показал Пете на какие-то кнопочки сбоку, – знаешь, что это такое?

– Кнопочки, – кивнул Петя. – Чтобы стрелки подводить или будильник ставить.

– А вот и не угадал, – тоненько засмеялся Тик-Так. – Это регулятор времени! Здесь скорость. Здесь – обратный ход. Понятно?

– Нет, – помотал Петя головой. – Не совсем понятно. То есть совсем непонятно.

– Временем можно управлять вне времени, – назидательно сказал Тик-Так и перевёл стрелки часов на восемь утра.

В комнате сразу стало светло. А за дверью раздался голос Петиной мамы: «Петя! Вставай!»

– Как вставай? – удивился Петя. – Я же ещё заснуть не успел! Куда ночь делась?

– Мы же с тобой стрелки перевели, – напомнил Тик-Так. – Считай, десять часов проскочили.

– Я... Я не хочу... Подожди... Не надо так сразу... – забормотал Петя.

– Хорошо, – согласился Тик-Так, – даю обратный ход.

– Йаватсв! Ятеп! – произнесла что-то непонятное за стенкой Петина мама, и в комнате вновь стало темно.

– Понял теперь? – спросил Тик-Так.

Петя кивнул:

– Здорово!

– Ну что, будем спать? – поинтересовался Тик-Так.

– Нет, давай ещё со временем поиграем! – предложил Петя.

Тик-Так помотал головой:

– Играть со временем нельзя! Но если спать тебе совершенно не хочется, так и быть, вставай и пойдём в школу.

– Сейчас? Ночью? – изумился Петя.

– Чудак, – усмехнулся Тик-Так. – Кто же по ночам в школу ходит? Сейчас мы стрелки на утро переведём.

И Тик-Так вновь перевёл стрелки на восемь часов утра.

– Петя! – услышал Петя голос мамы. – Пора завтракать!

– Опять собраться не успею, – вздохнул Петя.

– Всё успеешь, – успокоил его Тик-Так. – Сейчас время остановим и собирайся, сколько хочешь!

Петя встал с кровати, оделся и начал неторопливо складывать в портфель учебники, тетрадки, ручки. Собираясь, Петя недоверчиво поглядывал на часы, но стрелки стояли на восьми утра как вкопанные.

– Ну что? Собрался? – спросил Тик-Так. – Тогда пошли!

– А можно ещё немножко подождать? – попросил Петя.

– Зачем?

– Понимаешь, я уроки сделать не успел. Времени не было!

– Ничего страшного, – махнул рукой Тик-Так. – Теперь времени на всё хватит. Пойдём, там разберёмся!

Тик-Так нажал на какую-то кнопочку, часы затикали, и минутная стрелка весело побежала по кругу.

А в комнату заглянула Петина мама.

– Петя! Вста... – начала было она, но замолчала на полуслове, потому что увидела своего ленивого сына одетым, умытым и с портфелем в руках. – Чудеса! – сказала мама.

– Никаких чудес, будильник вовремя прозвенел, – объяснил Петя, засовывая часы с Тик-Таком в карман куртки.

К остановке троллейбуса Петя бежал что есть силы, но всё равно опоздал. Двери троллейбуса закрылись почти перед Петиным носом.

– Вот так всегда! – с досадой сказал Петя. – А следующий только через десять минут подойдёт. Опять к первому уроку не успею.

– Успеешь! – выглянул из кармана Тик-Так. – Внимание, включаю обратный ход.

Раздался мелодичный перезвон часов. На какое-то мгновенье всё на улице остановилось. И даже воробьи повисли в воздухе. А затем всё вновь пришло в движение. Но – задом наперёд!

Пешеходы и машины пятились. Воробьи стремительно опускались на крыши, причём летели они хвостом вперёд.

А осенние листья поднимались с земли и приклеивались к веткам деревьев. Из-за угла показался троллейбус, который тоже ехал задом. Троллейбус остановился, из него, пятясь, стали выходить пассажиры.

– Теперь успеем, – довольно кивнул Тик-Так, нажимая на кнопочку в крышке часов. – Время, вперёд!

И всё пошло-поехало своим чередом.

* * *

Куртку в школе пришлось снять. И Тик-Так вместе с волшебными часами перекочевал в ящик парты. Петя то и дело заглядывал под крышку парты и мысленно прикидывал, чтобы ещё такое можно сделать со временем. Для начала после уроков он хотел пару часов поиграть в футбол, но чтобы время при этом стояло. Ещё он хотел прийти к обеду вовремя, чтобы мама удивилась. А потом...

Но что будет потом Петя придумать не успел, потому что учительница вызвала его к доске.

– Я пропал, – прошептал Петя, наклонившись к Тик-Таку.

– Напиши, пожалуйста, на доске решение задачи, – попросила учительница.

– Какой задачи? – Петя тянул время изо всех сил.

– Той, которую я задала вам на дом. Ты ведь её решил, правда, Петя? – спросила учительница и вдруг застыла возле доски, как каменное изваяние.

И все ученики в классе замерли. А карандаш, за мгновение до этого скатившийся с чьей-то парты, не успел упасть и повис прямо в воздухе.

На Петину парту взобрался Тик-Так и помахал Пете рукой.

– Спасибо, Тик-Такчик! – поблагодарил Петя.

– За что спасибо-то? – спросил Тик-Так.

– Ты меня от двойки спас, – пояснил Петя.

– Ещё не спас, – покачал головой Тик-Так. – Вот сейчас она «оживёт», – махнул Тик-Так рукой в сторону учительницы, – и ты получишь свою «пару».

– А что же делать? – испугался Петя.

– Попробуй решить задачу, на которую у тебя вчера времени не хватило.

– Я... Я не умею, – признался Петя. – Я с самого начала четверти ничего не учил. Помоги мне, Тик-Так!

– Подсказывать не буду и задачи за тебя решать тоже не буду. Но, так и быть, помогу.

Тик-Так прыгнул в парту, открыл крышку часов и перевёл стрелки на двадцать минут вперёд.

И сразу же по всей школе оглушительно зазвенел звонок с урока.

– Повезло тебе, Иванов, – сказала «ожившая» учительница. – Ладно уж, иди на место. В следующий раз расскажешь нам, как ты решил эту задачу.

Петя облегчённо вздохнул и пошёл на место.

После уроков Петя сидел на скамейке в сквере. В руках у него были волшебные часы, по крышке которых расхаживал Тик-Так. Дух времени обучал Петю пользоваться часами:

– Обратный ход отправляет время вспять, – тоном учителя говорил Тик-Так, – но прежде чем включить обратный ход...

– Эта кнопочка, да? – перебил Петя.

– Не перебивай, – попросил Тик-Так.

– Да я уже помню! – отмахнулся Петя и нажал кнопку на корпусе.

Тотчас мирное «тик-так» часов сменилось на «так-тик».

– Так нельзя! – закричал Тик-Так. – Сначала время нужно было остановить!

– Хорошо, – быстро согласился Петя и нажал ещё одну кнопку.

Но время не остановилось, а полетело со страшной скоростью. Тиканье превратилось в гул.

– Что ты наделал! – схватился Тик-Так за голову. – Ты же включил ускорение времени!

Тик-Так откинул крышку часов и прыгнул на раскачивающееся зубчатое колёсико. Колёсики и пружинки часов жалобно звенели. Тик-Так достал гаечный ключ и попытался вставить его между зубчиков, чтобы остановить маятник. Но зубчатое колесо крутилось с такой скоростью, что гаечный ключ Тик-Така отлетел, словно камень, выпущенный из рогатки.

А Петя, задрав голову вверх и открыв рот от удивления, смотрел в небо. На небе происходило что-то невообразимое: солнце быстро опустилось на востоке и тут же появилось на западе. День и ночь мелькали со скоростью пейзажа за окном поезда.

Петя перевёл взгляд на соседнее дерево. Листочки на нём уменьшились, превратились в почки, а затем и вовсе исчезли. Появившиеся из-под земли лужи сначала замёрзли, потом превратились в снег. Хлопья снега взлетали с земли и уносились в небо. Когда весь снег улетел в небо, на земле обнаружились замёрзшие лужи. А опавшие с деревьев листья поднялись в воздух и стали быстро приклеиваться к веткам, зеленея на ходу.

– Зима... Нет, осень... Лето, – не успевал Петя за сменой времён года.

Дома вокруг парка тоже стали меняться. Куда-то исчезли многоэтажки и новые магазины. На их месте сначала появились пятиэтажные дома, потом двухэтажные, а потом и вовсе деревянные покосившиеся избушки.

Петя повернулся к Тик-Таку.

Тик-Так молча развёл руками.

– Не останавливается? – испуганно спросил Петя.

– Нет, – покачал головой Тик-Так. – Время уже нельзя остановить. Слишком большая скорость.

– И ничего нельзя сделать? – На глазах Пети появились слёзы.

– Нужно дождаться, пока завод кончится. Тогда часы сами остановятся.

– А когда он кончится?

Тик-Так пожал плечами:

– Не знаю. Завода часов хватает на пару миллионов лет. Самим часам триста лет. Да туда-сюда за это время лет пятьсот напутешествовали...

– Со мной? – удивился Петя.

– До тебя у этих часов знаешь сколько хозяев было! – улыбнулся Тик-Так. – Твой папа, твой дедушка, твой прадедушка, твой пра-пра-пра...

– Миллион лет! – как зачарованный повторил Петя. – А что же мы там делать будем? Это же какое-то доисторическое прошлое получается?

– Там я часы починю и пущу время вперёд, – пояснил Тик-Так.

И тут часы остановились. И время тоже.

Вокруг Пети и Тик-Така была совершенно незнакомая местность. На горизонте синели силуэты неизвестных гор.

Вместо привычных берёз и клёнов в парке росли какие-то гигантские хвойные деревья, обвитые лианами. На лиане неподвижно сидел жук, размером с крупную мышь. А рядом с ним, разинув зубастую пасть, сидела мышь, размером с крупную кошку.

– Мы что, к динозаврам попали? – спросил Петя.

Тик-Так огляделся вокруг, сказал, усмехнувшись:

– Динозавров здесь уже нет. Вымерли давно. Это какой-нибудь ранний неолит.

– А-а! – протянул Петя, будто понял. Ему не хотелось признаваться Тик-Таку, что ни про какой неолит – ни про ранний, ни про поздний – он ничего не слышал.

– Ты ладошку-то ровно держи, – попросил Тик-Так.

На ладони у Пети лежали раскрытые часы, а Тик-Так ковырялся в механизме своими гаечными ключами.

Петя заметил в кустах что-то яркое, полосатое и осторожно, чтобы не помешать Тик-Таку, пошёл по тропинке, вьющейся между огромными валунами.

Яркое полосатое оказалось саблезубым тигром, сидящим в очень неестественной позе. Вроде тигр только что собирался почесать лапой за ухом, да так и замер.

Петя обошёл вокруг тигра, дёрнул его за хвост. Тигр не шелохнулся.

– Чучело! – обозвал Петя тигра.

Петя встал перед мордой клыкастого зверя и стал строить ему гримасы.

Ничего не подозревающий Тик-Так вытер руки, убрал инструменты в чемоданчик и захлопнул крышку часов.

– Готово! – пискнул Тик-Так.

И тут же время пошло вперёд.

Саблезубый тигр страшно зарычал, глядя на Петю.

Петя тоже закричал, правда, не так громко, как тигр.

Тигр поднялся и приготовился к прыжку.

А Петя кинулся наутёк, совершенно забыв про Тик-Така.

Тик-Так соскользнул с гладкой крышки часов и чуть было не упал, но в последний момент ухватился за цепочку и висел теперь на ней, как брелок.

Как быстро ни старался бежать Петя, тигр настиг его в несколько прыжков и уже открыл свою саблезубую пасть, чтобы схватить мальчишку.

Но в этот самый момент на тигра вдруг обрушился град камней. Тигр остановился, попятился и с визгом бросился удирать в ближайшие заросли.

Петя смотрел вслед тигру, не веря своему счастью.

Тик-Так, пыхтя, поднимался по цепочке к часам.

И тут послышался непонятный звук – не то хохот, не то дикий вой. Петя вздрогнул от страха, приготовившись бежать от нового чудовища. Но на полянку вышло не чудовище, а стайка лохматых грязных мальчишек в звериных шкурах. Мальчишки вопили и хохотали, и грозили вслед тигру своими грязными кулачками.

К Пете подошёл один из мальчишек – самый маленький и самый грязный. Он был очень похож на Петю.

– Кто это? – шёпотом спросил Петя у Тик-Така.

– Питекантроп, – также тихо ответил Тик-Так.

– Ты питекантроп? – спросил Петя теперь уже у мальчишки.

А доисторический мальчишка замотал головой, ткнул себя в грудь кулаком и сказал:

– Пета!

– О! И я тоже Петя! – обрадовался Петя.

– Это твой предок, – пояснил Тик-Так.

Маленькие питекантропы плясали на полянке, празднуя, видимо, победу над тигром. Но тут раздался оглушительный свист, и мальчишек с полянки как ветром сдуло.

Питекантроп Пета ухватил Петю за руку и потащил за собой.

За огромным валуном находился доисторический класс. Отполированный кусок отвесной скалы был школьной доской. А вместо парт и стульев на полянке стояли разной величины валуны. К одному из них были прислонены пять дубинок разной длины и толщины, начиная с тоненького прутика и кончая огромной шишковатой палицей.

– Это у них отметки, – продолжал объяснять Тик-Так. – Самая тонкая – пятёрка, а самая толстая – ну... сам понимаешь...

Мальчишки расселись попарно и затихли. Петя сел рядом со своим предком. И тут в класс вошёл учитель.

Это был заросший, такой же грязный и лохматый, как мальчишки, питекантроп в полосатой тигриной шкуре и с дубинкой под мышкой. Учитель что-то зарычал, приветствуя класс. Класс ответил ему нестройным визгом.

Учитель взял острый камень и начал что-то выцарапывать на доске-скале.

А Петя открыл свой портфельчик и достал оттуда наклейки с портретами футболистов.

Пета с доисторическим ужасом смотрел на изображения людей, одетых в трусы и майки. Петя же, как мог, объяснил, что такое футбол, кто из этих футболистов вратарь, а кто нападающий.

К тому моменту, когда учитель нацарапал на скале свою задачу, Петя уже поменял наклейки с футболистами на доисторические ракушки, которые оказались у Петиного предка.

Учитель постучал дубинкой по валуну. И доисторические школьники притихли.

– Ы! – ткнул учитель дубинкой в сторону Петиного предка.

Пещерный Пета вскочил и посмотрел на скалу. Там было нацарапано:

$$3+2=$$

Петин предок в растерянности пожал плечами и покраснел как рак.

– Ты что, это же просто! – зашептал Петя. – Три плюс два будет пять! Пять! – показал он своему предку растопыренную пятерню.

Но подсказки, очевидно, не приветствовались уже в доисторической школе. Потому что учитель, помахивая дубинкой, направился к Пете с грозным рыком.

– Сейчас он тебе за подсказку заслуженную оценочку поставит, – предупредил Петю Тик-Так, что-то подвинчивая в часах.

– Какую? – спросил Петя.

– А вон, в руках несёт. Видишь? – показал Тик-Так на дубинку в руках пещерного учителя.

Петя увидел приближающуюся «оценку за подсказку» и в ужасе закрыл глаза...

Но вдруг раздался хохот и радостный визг пещерных мальчишек.

Когда Петя открыл глаза, он увидел, как из-за скалы появилась большая лохматая змея. Обвив учителя, змея подняла его высоко в воздух и вместе с ним скрылась за скалой.

С визгом и криками ребята лезли на скалу, желая что-то рассмотреть.

– Они кричат – урока не будет, – перевёл Тик-Так.

Петя тоже влез на скалу и увидел гигантского косматого мамонта, который в выско поднятом хоботе нёс злополучного педагога доисторических времён. Мамонт махнул хоботом и забросил учителя на верхушку ог-

ромного дерева, где тот и остался висеть, оглашая воздух пронзительными клекочущими звуками.

Что потом произошло, Петя никогда не узнал. Потому что Тик-Так закончил подвинчивать часы.

– Готово! – сказал он, и перед глазами Пети всё смешалось.

Стали появляться и исчезать высокие горы, какие-то хижины, которые разваливались прямо на глазах, а на их месте буквально из-под земли поднимались каменные дома.

Скорость времени всё увеличивалась. Как в калейдоскопе вокруг них мелькали обрывки исторических событий: византийские корабли, скифы, набеги половцев... татары... Вот проехал возок Ивана Грозного, сопровождаемый опричниками на конях. Вот боярам стригут бороды... Вот Пётр I... Вот мрачный Наполеон на Бородинском поле...

– Прям как в кино! – восторженно воскликнул Петя. – Мы скоро приедем.

– В будущее летим! – громко пропищал в ответ Тик-Так. – По моим расчётам, успеем ко второму уроку.

– Лучше бы сразу к третьему! – попросил Петя. – Правила грамматики я тоже не выучил!

– Приготовься к торможению! – предупредил Тик-Так. Лицо его нахмурилось.

Тут что-то произошло – землетрясение не землетрясение, извержение не извержение – но земля под ногами Пети задрожала, всё куда-то понеслось, завертелось и закрутилось.

– Я сам тормоз нажму! – сказал Петя и нажал на кнопку часов.

И полёт времени сначала замедлился, а затем и вовсе остановился.

– Где это мы? – спросил Петя, удивлённо озираясь по сторонам.

Они стояли на какой-то улице с двухэтажными каменными домами. По булыжной мостовой катила повозка, лошадь цокала копытами.

– Очень сильно нажал, – покачал головой Тик-Так. – Лет на двести ошиблись.

– А что это за город? – спросил Петя.

– Москва, неужели не узнаёшь? Вон школа твоя, – показал Тик-Так рукой на какое-то обшарпанное здание.

– Это? – удивился Петя. – Это не моя школа!

– Твоя, твоя, – подтвердил Тик-Так. – Её лет через 150 перестроят, два этажа добавят.

– А можно внутрь заглянуть? – попросил Петя. – Интересно же!

– Загляни, – разрешил Тик-Так. – А я пока точное время рассчитаю.

Петя засунул часы с Тик-Таком в карман и отправился в «свою» школу.

Успел он как раз вовремя. К звонку на урок.

По школьному коридору бежали мальчишки и ныряли в двери классов.

Петя тоже побежал и лоб в лоб столкнулся с каким-то мальчишкой. Они отпрянули друг от друга и одновременно сказали:

– Ой!

Дело в том, что Петя был похож на этого мальчика как две капли воды! Только одежда другая.

– Ты кто? – спросил мальчишка, увлекая Петю за собой в класс.

– Петя Иванов.

– И я Петя Иванов.

Из кармана высунулся Тик-Так, подёргал Петю за рукав и сообщил:

– Это твой прапрапра-какой-то-дедушка.

– Садись! – дёрнул Петю за другой рукав прапрадедушка Петя Иванов.

Петя плюхнулся на деревянную лавку, которая стояла возле длинного стола. Но тут же ему пришлось снова встать – в класс вошёл учитель.

Учитель был в мундире с блестящими пуговицами, как милиционер на параде. Он оглядел притихший класс и остановил взгляд на Пете.

– Новый ученик? – сурово спросил учитель.

Петя покивал.

Учитель разрешил всем сесть, сел сам за свой учительский стол и уткнулся носом в журнал.

Мальчишки же, как и любые мальчишки любых эпох, стали тихо перешёптываться, корчить рожи и кидаться бумажными шариками.

Петин прапрадедушка достал из кармана горсть пуговиц с какими-то гербами и орлами. А Петя в свою очередь стал хвалиться ископаемыми ракушками.

Обмен ракушек на пуговицы прервал учитель.

– Пётр, Иванов сын! – громко сказал он.

Оба Пети Иванова тут же подскочили.

Учитель в недоумении уставился на мальчишек.

– Я не сын, я внук, – сказал Петя.

Мальчишки в классе засмеялись. Учитель тоже хмыкнул и произнёс:

– Зело прыткий отрок! А вот ответствуй, как зовётся столица Государства Российского?

Изо всех слов, сказанных учителем, Петя понял ровно половину – про столицу. И с готовностью ответил:

– Москва! Тоже мне вопрос, – шёпотом добавил он, обращаясь к своему прапрадедушке. – Это любой детсадовец знает.

Мальчишки в классе почему-то громко захохотали. А учитель нахмурил брови и постучал указкой по столу.

– Санкт-Петербург! Санкт-Петербург! – зашептал Петин прапрадедушка.

Дальнейшая сцена живо напомнила Пете урок в доисторической школе. Только в руках учителя вместо дубинки были розги, но цель, с которой он приближался к Пете, сомнений не вызывала.

– Ещё одну хорошую оценочку получил, – сказал Тик-Так, высунувшись из Петиного кармана.

Учитель подошёл к Пете вплотную и замахнулся розгами.

– Ну уж нет! – крикнул Петя. Он вытащил из кармана часы и нажал на какую-то кнопку. – Время, вперёд! – приказал Петя.

И время полетело вперёд.

Ученики мгновенно выросли и состарились. Учитель вообще куда-то исчез вместе с классом, школой и улицей.

Петя зажмурил глаза.

– Приехали! – услышал наконец-то Петя голос Тик-Така.

В огромном светлом зале пол и потолок были абсолютно прозрачными. А за окном виднелись верхушки пальм. Рядом с пальмами качались ветки апельсиновых и лимонных деревьев, усыпанные спелыми плодами.

– Африка! – ахнул Петя.

– Москва. Конец XXI века, – поправил его Тик-Так, – тропический школьный сад, – и добавил: – Ещё раз на какую-нибудь кнопку без спроса нажмёшь – и в своё время не попадёшь никогда!

Пластиковая стена зала вдруг отъехала в сторону, и Петя увидел класс. Но что это был за класс! Дети в разноцветных комбинезонах сидели за яркими пластиковыми столами. На каждом столе стоял компьютер, а вместо школьной доски был экран огромного телевизора.

За одним столом сидел мальчик, удивительно похожий на Петю.

– Тоже мой родственник? – спросил Петя у Тик-Така.

– Внук твой, – сердито сказал Тик-Так, вынимая в

который уже раз свой чемоданчик с инструментами. – Вот как вперёд ускакали!

– А я, значит, теперь дедушка? – расхохотался Петя и направился прямиком к своему внуку.

Вдруг над экраном большого телевизора выдвинулся рупор громкоговорителя и механический голос объявил:

– Внимание! Урок атомной физики сегодня проведёт резервный механический преподаватель Робот Электронович. Дети, будьте внимательны и послушны!

Дети, конечно же, тут же загалдели и зашумели. Внук Пети шумел больше всех, а ещё он кричал «ура!» и хлопал клавиатурой компьютера по столу.

– Ты Петя Иванов? – подошёл к нему Петя.

– А тебе-то что? – довольно-таки невежливо ответил внук своему дедушке.

– Ничего, я тоже Петя Иванов, – протянул Петя руку.

– Удивил! – хмыкнул внук.

– Я твой дедушка, – представился Петя.

– Кончай врать! – махнул рукой Петин внук.

– А это видел! – Петя достал из кармана пуговицы с орлами и гербами.

– Из музея? – поинтересовался Петя из будущего.

– Нет, у прапрадедушки на ракушки выменял, – честно признался Петя. – А ракушки за наклейки получил у одного питекантропа, тоже нашего предка.

– Врёшь ты всё, дедуля!

– Не вру! – обиделся Петя.

В это время в класс вкатился, скрипя колёсами, резервный механический преподаватель Робот Электронович. С железным лязгом он плюхнулся в учительское кресло и заскрежетал:

– Дети! В прошлый раз вы проходили античастицы. Сейчас я проверю знания... знания... знания...

На голове робота замигали красные лампочки.

– Устаревший, – прошептал Петя из будущего. – У него полупроводники замыкают. Но двойки ставит, как новенький!

Робот повернул какую-то ручку на своей груди и ему наконец-то удалось закончить фразу:

– ... знания Пети Иванова.

Оба Пети встали.

– Петя, расскажите, что вы знаете об устройстве атома, – продолжал скрежетать робот.

– Я ничего не знаю, – шепнул внук. – Выручай, дедуля!

– Так я тем более ничего не знаю.

– А ещё дед называется! – возмутился Петя из будущего.

– Ну-сссс, – зловеще зашипел Робот Электронович. – Мы ждём... ждём... ждём...

– Ладно уж. – Пете очень не хотелось ударить в грязь лицом перед собственным внуком, и он зашагал к доске.

Робот Электронович опять покрутил какую-то ручку на груди и замолчал, уставившись на Петю двумя зелёными лампочками-глазами.

– Атом – это атом! – бодро начал Петя. – Из атома делают бомбы!

Зелёные глаза Робота Электроновича начали наливаться красным цветом.

– Атомные бомбы, – уточнил Петя.

Тут на лбу робота вспыхнула белая лампочка. Раздался какой-то треск, полетели искры, задымились провода, а в животе механического педагога завыл радиоприёмник.

– Бомбы... бомбы... бомбы... – выл Робот Электронович.

Он попытался встать, но вдруг обмяк и грудой железа свалился рядом с креслом.

– Здорово ты его взорвал своей бомбой! – восхитился внук Петя Иванов. – В нашем классе учиться будешь?

– Не-ет, – протянул Петя. – Я в своём классе учиться буду. Вот сейчас часы починим и в наше время вернёмся. В двадцатый век...

– Так ты что, правда, что ли, из прошлого? – наконец-то поверил Петя из будущего.

– Правда. Я случайно не на ту кнопочку нажал. Вот никак в своё время и не попаду. То в каком-то неоли-

те был, то к прапрадедушке в класс попал. Теперь вот к тебе...

Из Петиного кармана высунулся очень недовольный Тик-Так.

– Не на ту кнопочку нажал? – возмутился он. – Да ты весь механизм обратного хода сломал! Так что придётся тебе в этом времени остаться!

– Я не хочу! – сказал Петя. И вдруг расплакался: – Я домой хочу, к маме! В своё время хочу! В свою школу!

– Да эта школа гораздо лучше, – принялся утешать Петю Тик-Так. – Будешь учиться вместе с внуком. Он, правда, такой же лентяй, как и ты...

– Тик-Тачик, миленький! – горько плакал Петя. – Да как же я здесь учиться буду? Я у себя-то еле-еле учился. А тут какие-то роботы, атомы...

– Кончай реветь, – сказал внук Петя Иванов. – После уроков разберёмся. А сейчас пора на физкультуру идти, – он достал из кармана часы, посмотрел на циферблат и добавил: – Три минуты осталось!

– Часы! – вдруг крикнул Тик-Так. – Петя! Наши часы!

В руках Пети из будущего и в самом деле были старинные карманные часы с цепочкой.

– Не ваши, а мои, – поправил Тик-Така внук. – Мне их папа подарил. А папе – дедушка.

– Так ведь это я – дедушка! – обрадованно закричал Петя. – Это я твоему папе часы подарил! Тик-Так, я правильно говорю?

– Тик-Так хитро улыбался. Правильно-то правильно. Но не пора ещё двум Петям по-настоящему встречаться. А вот по-волшебному пришлось. Ведь Петя часы не берёг, время не ценил, скакал по эпохам туда-сюда, за миллионы лет ни одного урока не выучил. Ну и хозяин времени! Потому и «застрял» в другой эпохе. Но Тик-Так был добрый волшебник... И сломанные Петей часы «пошли» у Петиного внука.

– Петя! Пожалуйста! Отдай мне эти часы! – попросил Петя Иванов своего внука. – Я тебе их обязательно верну! Вот увидишь!

– Вернёт-вернёт! – подтвердил Тик-Так. – А они, кстати, исправные? – Волшебник еле заметно улыбнулся.

– Отличные часы! – похвалился внук Петя. – Я их, правда, не заводил ни разу...

– Ещё бы, – сказал Тик-Так. – У них завод на два миллиона лет. Хотя... Из неолита вернулись... Потом ещё крюк в двести лет сделали... Сюда проскочили... Всё равно пока ещё время есть, – подытожил Тик-Так. – На пару столетий хватит.

Петя из будущего протянул часы своему деду Пете Иванову.

Петя взамен отдал своему внуку горсть пуговиц с гербом Российской империи.

– Ну, будь здоров, внучек! Веди себя хорошо.

– Желаю тебе хорошо учиться, дедушка, чтоб я мог гордиться своим учёным умным дедом, – ответил Петин внук.

– Ты тоже смотри, учись как следует, когда я вырасту и стану твоим настоящим дедушкой, я с тебя всё спрошу. Ну, пока!

– Пока!

Теперь-то Петя уж точно знал, что учить уроки надо во все времена!

– Пора! – Тик-Так открыл крышку часов, повернул какое-то колёсико, нажал на кнопку, и время полетело вспять.

Мелькали дни и ночи. Солнце металось по небу, как шарик от пинг-понга. Кружились в воздухе листья и хлопья снега. Дождь лился из луж в тучи.

* * *

Часы лежали на тумбочке возле Петиной кровати и громко тикали.

Возле часов прохаживался Тик-Так, заложив руки за спину. Добрый дух времени поглядывал то на спящего Петю, то на минутную стрелку, которая приближалась к двенадцати.

Ровно в восемь часы мелодично затренькали.

– Петя! – негромко позвал Тик-Так. – Вставай!

– Мама! – вскочил Петя.

– Это я, – сказал Тик-Так. – Пора в школу!

– Уже пора? – изумился Петя. – Так ведь я же уроки не успел сделать! Тик-Такчик, миленький, останови, пожалуйста, время! Я только задачку решу...

– Нет, – строго сказал Тик-Так. – Хватит играть. Так ты никогда не станешь настоящим хозяином своего времени. Может быть, потом мы с тобой и попутешествуем ещё в прошлое или в будущее.

– Ты же обещал! – напомнил Петя. – Ты же говорил, что у меня теперь времени будет хоть отбавляй! А что получается? Опять его нет!

– Почему же нет? Вот оно, твоё время, – постучал Тик-Так по крышке часов. – Не теряй даром ни минуты, знаешь, сколько свободного времени накопится?

– Ну в последний раз! – заканючил Петя. – Только задачку решить! Ну, хоть десять минуточек дай!

– У тебя были миллионы лет! – усовестил Петю Тик-Так.

– Из-за тебя опять двойку получу! – обиделся Петя.

– Обязательно получишь, – подтвердил Тик-Так. – Только не из-за меня. Но я надеюсь, что это будет твоя последняя двойка.

Тик-Так искоса посмотрел на часы. Минутная стрелка по-прежнему стояла на цифре «12».

– Ну, ладно, давай прощаться, – предложил Тик-Так. – А то и впрямь в школу опоздаешь.

– А который час? – испугался Петя.

– Всё ещё восемь, – лукаво улыбнулся Тик-Так.

– Так ты всё-таки остановил время! – тоже улыбнулся Петя.

– Разве что на секундочку, – сказал Тик-Так.

Он распахнул крышку часов и тотчас исчез среди их причудливых колёсиков и шестерёнок...

«Тик-так, тик-так, тик-так», – тут же весело побежала вперёд минутная стрелка.

И тут же дверь Петиной комнаты открылась, и мама позвала:

– Петя! Вставай! Опоздаешь!

– Не опоздаю! – крикнул Петя в ответ. И добавил шёпотом, склонившись над часами: – Тик-Так! Я стану настоящим хозяином времени. Обещаю!

СОДЕРЖАНИЕ

СКАЗКИ

Яблоко. *Рис. В. Сутеева* 6

Мешок яблок. *Рис. В. Сутеева* 15

Палочка-выручалочка. *Рис. В. Сутеева* 39

Кот-рыболов. *Рис. В. Сутеева* 53

Ёлка. *Рис. В. Сутеева* 68

Дядя Миша. *Рис. В. Сутеева* 87

Умелые руки. *Рис. В. Сутеева* 103

СКАЗОЧНЫЕ ИСТОРИИ И СКАЗОЧНЫЕ ПОВЕСТИ

Терем-теремок. *Рис. Н. Кудрявцевой, В. Сутеева* 110

Раз, два – дружно! *Рис. З. Яриной, В. Сутеева* 121

Про бегемота, который боялся прививок
(по сказке Милоша Мацуорека)
Рис. М. Михайлова, В. Сутеева 131

Петя и Красная Шапочка. *Рис. А. Савченко* 140

Мы ищем Кляксу. *Рис. Л. Каюкова, В.Сутеева* 158

Волшебный магазин. *Рис. Н. Кудрявцевой* 168

Петя Иванов и Волшебник Тик-Так
Рис. З. Яриной 228

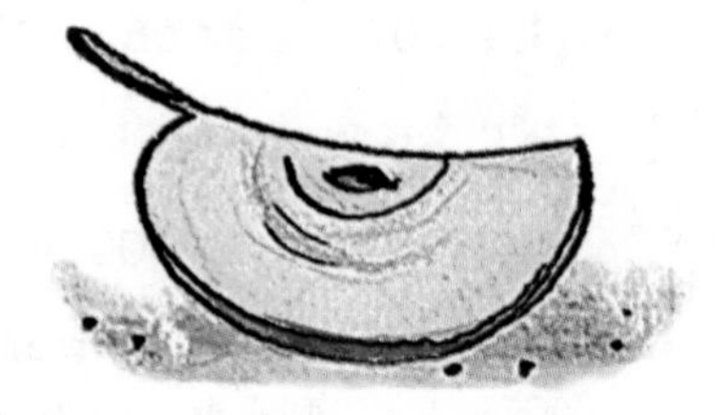

Для чтения взрослыми детям

Владимир Григорьевич Сутеев

СКАЗОЧНЫЕ ИСТОРИИ И СКАЗОЧНЫЕ ПОВЕСТИ

Сказки, сказочные истории и сказочные повести

Коллектив художников

Дизайн обложки Н. Фёдоровой

Редактор *Н. Коробкова*
Художественный редактор *М. Тюрина*
Технические редакторы *Г. Рыжкова, И. Круглова*
Корректор *И. Мокина*
Компьютерная вёрстка *Т. Барковой*

Санитарно-эпидемиологическое заключение
№ 77.99.24.953. Д.002132.04.05 от 21.04.2005 г.

Подписано в печать с готовых диапозитивов 21.10.2005
Гарнитура Футурис. Бумага офсетная. Усл. печ. л. 17,0.
Формат 84×108/16. Доп. тираж 10 000 экз. Заказ № 2434

ООО «Издательство Астрель»
129085, г. Москва, проезд Ольминского, д. 3а

ООО «Издательство АСТ»
170000, Россия, г. Тверь, пр-т Чайковского, д. 19А, оф. 214

Наши электронные адреса: www.ast.ru E-mail: astpub@aha.ru

ООО «Транзиткнига»
143900, Московская область, г. Балашиха, ш. Энтузиастов, 7/1

Общероссийский классификатор продукции
ОК-005-93, том 2; 953000 — книги, брошюры

Отпечатано с готовых диапозитивов в Государственном
Московском предприятии «Первая Образцовая типография»
Федерального агентства по печати и массовым коммуникациям.
115054, Москва, Валовая, 28

Раз, два – дружно!

Яблоко

Мешок яблок

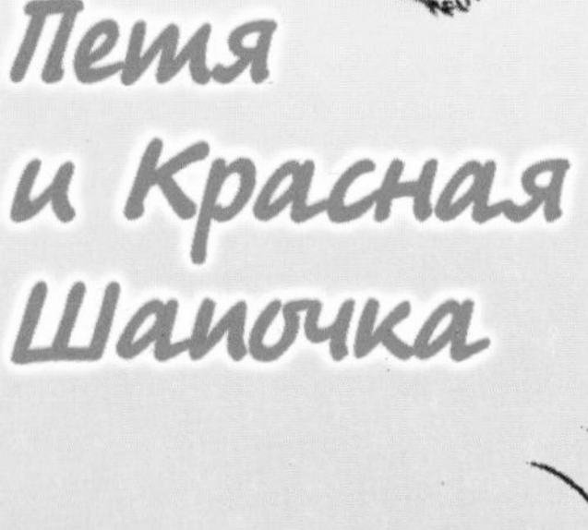

Петя и Красная Шапочка

Петя Иванов и Волшебник Тик-Так

Кот-рыболов

Умелые руки